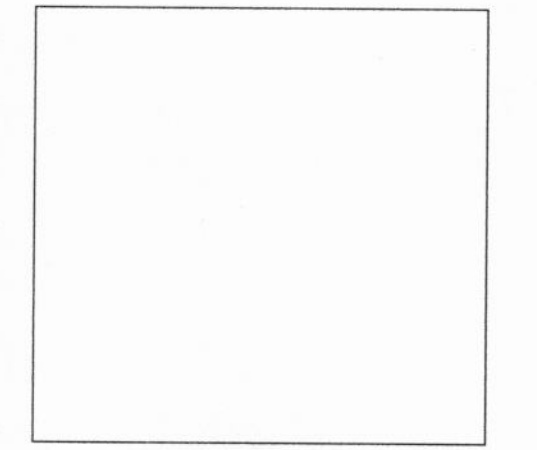

ちくま新書

人類5000年史V
——1701年〜1900年

出口治明
Deguchi Haruaki

1287-5

人類5000年史V――1701年〜1900年【目次】

第十一章 第五千年紀後半の世界、その3
一八世紀の世界(一七〇一年から一八〇〇年まで) 007

(1) プロイセン王国とロシア帝国の台頭

(2) 産業革命と乾隆帝

第十二章 第五千年紀後半の世界、その4
一九世紀の世界（一八〇一年から一九〇〇年まで） 103

図版作成＝朝日メディアインターナショナル株式会社

『人類5000年史Ⅰ――紀元前の世界』目次

『人類5000年史Ⅱ――紀元元年～1000年』目次

『人類5000年史Ⅲ――1001年～1500年』目次

『人類5000年史Ⅳ――1501年～1700年』目次

第十一章

第五千年紀後半の世界、その3
一八世紀の世界（一七〇一年から一八〇〇年まで）

この世紀は、産業革命とフランス革命の世紀です。一八世紀は清を除くアジアの三つの大国が一様に衰退に向かい、ヨーロッパが舞台の中央に登場してきた時代でした。

ヨーロッパでは王位継承問題を契機にフランスとイングランド（兼スコットランド。以下同様）の対立を軸とした戦争が相次ぎ、スウェーデンや老大国オーストリアが徐々に弱体化するとともに、新興のロシアやプロイセンが勃興してきます。そして豊かな海軍力を背景にしたネーデルラントや、アメリカが新たな強国として登場してきます。

また、世界初の工業化である産業革命が、たまたまイングランドで起こったことによりイングランドの生産力が飛躍的に向上しました。産業革命は、人類の夢であった「気候」から人間を解放したのです。産業革命は次から次へと飛び火しヨーロッパの列強の躍進を支える原動力となりました。

アジアの大帝国は、まずムガル朝がデリー周辺をかろうじて支配する一勢力に転落し、サファヴィー朝は一七三六年に滅びました。オスマン朝は、改革は行われましたが大きな成果はなく、腐敗と弱体化がいっそう進みました。

一八世紀のヨーロッパでは、自然権や平等権、社会契約説、人民主権論など理性による人間の解放を唱える啓蒙思想が広まっていました。この動きは、アメリカ独立革命やフランス革命に結実します。市民革命が起こり、市民社会への流れが始まりました。

一方で、プロイセンやロシア帝国では啓蒙専制君主が登場し、上からの近代化が進められました。いずれにせよ、一八世紀の世界を象徴する産業革命とフランス革命がこうして登場した訳です。

一八世紀は、また、電気技術の夜明けの年でもありました。一八世紀に開花した電気技術は一九世紀において、現代の生活に欠かすことのできない電話機、モーター、発電機、白熱電球などの発明に繋がっていきます。

一八世紀の音楽は、大音楽家たちが生きた時代です。火山の噴火はアイスランドのラキ火山（一七八三年）、浅間山（天明大噴火。一七八三年）が立て続けに起こりました。

(1) プロイセン王国とロシア帝国の台頭

†スペイン継承戦争とプロイセン王国の誕生

一七〇〇年、ヨーロッパ中が注目していた病床のスペイン王、カルロス二世（在位一六六五

フェリペ5世

ルイ14世

一）が死去しました。カルロス二世は、スペイン王位のアンジュー公フィリップへの譲位を表明して崩御、スペイン・ハプスブルク家は五代で断絶しました。アンジュー公はフェリペ五世（在位一七〇〇―二四、二四―四六）として、スペイン・ボルボン（ブルボン）朝の初代国王に就き、今日まで続くボルボン家のもとになりました。

ルイ一四世（在位一六四三―一七一五）は、スペイン王位継承権を喜んで迎えました。フェリペ五世はルイ一四世の孫に当たります。ルイはフェリペ五世を、フランスの王位継承権を持ったまま、スペインの新王に就かせようとしたのです。これは、スペイン・フランスの君主が同一人になることを意味します。もはや戦争は避けられませんでした。スペイン継承戦争（一七〇一―一四）が始まったのです。フランス、スペインvsイングランド、ネーデルラント、神聖ローマ帝国の顔ぶれです。ウィリアム三世（在位一六八九―一七〇二。ネーデルラント総督を兼ねる）、レオポルト一世（在位一六五八―一七〇五）など歴戦の勇者が顔を揃えました。今度こそ、ルイ一四世の思う通りにはさせまい、と。

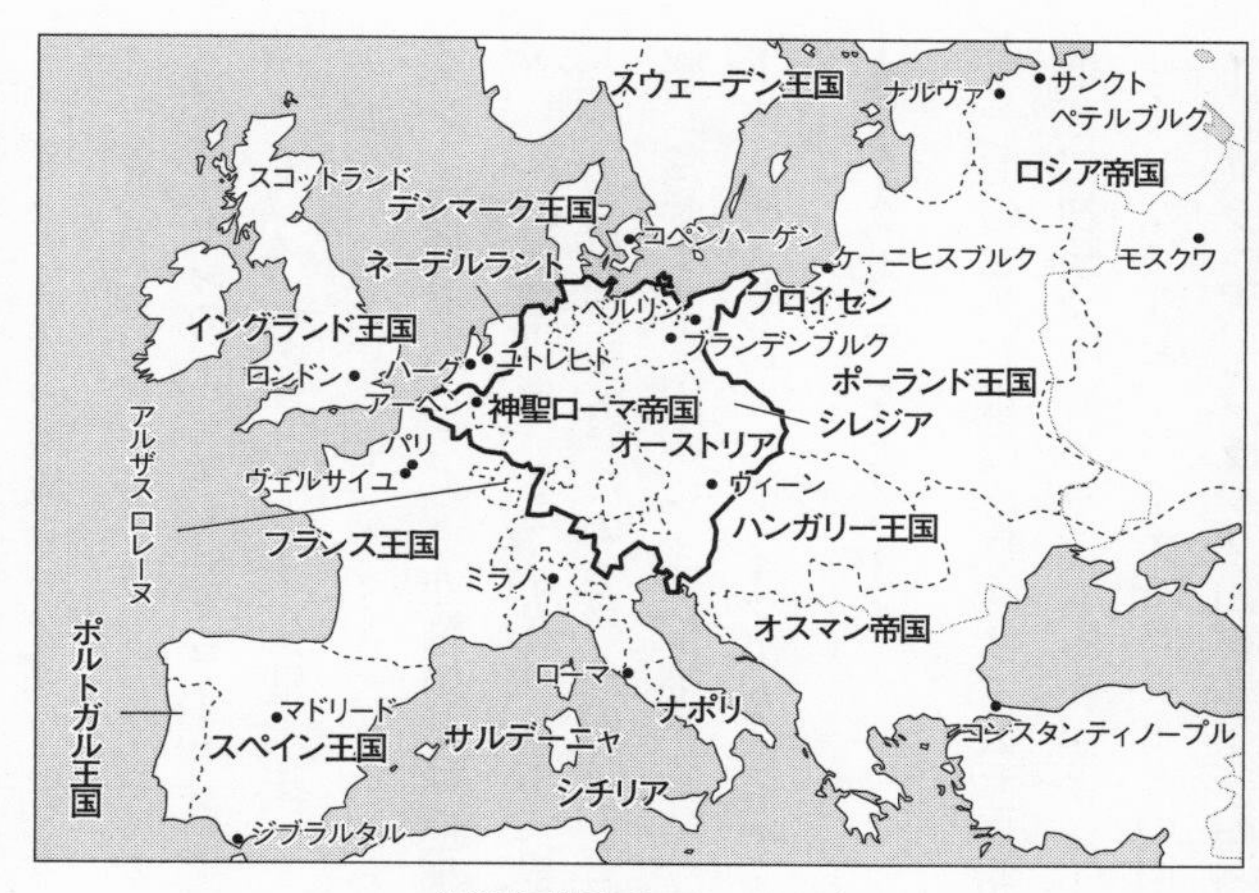

1700年当時のヨーロッパ

上記三カ国はハーグ条約（一七〇一）を結び結束を固めました。スペインのフェリペ五世は認めるが、スペインの持っているヨーロッパ領（ネーデルラント、イタリア）をオーストリアのものとするというのがその骨子です。

レオポルト一世は、これに先立ってブランデンブルク選帝侯（兼プロイセン公）に、「プロイセンの王」を授けることを代価として援軍の派遣を約束させました。すっかり喜んだホーエンツォレルン家は、一七〇一年の新春にプロイセンの首都ケーニヒスブルク（現ロシア領カリーニングラード）でフリードリヒ一世（在位一七〇一―一三）を戴冠させました。ところで、プロイセンとブランデンブルクは離れています。間にポーランドがあります。そこで歴代のプロイセンの王（在ベルリン）は、ポーランドを支配下に置いて自分の領地をつなげたいと考えるようになっていくのです。一七七二年、第一次ポーランド分割後はブランデンブルクとプロイセンが繋がれ、この夢は実現しました。同時に、「プロイセンの王」から「プロイセン国王」に昇格しました。

さて、イングランドで王位継承法（一七〇一）が制定されました。これは「ステュアート家の血を引いている者（ハノーファー選帝侯妃ゾフィーの子孫）に限る。キリスト教徒でプロテスタント信仰であること。非嫡出子は継承権が与えられない」と、継承権を限定しました。加えて、ルイ一四世が、名誉革命で王位を失ったジェームズ二世の一統（ローマ教会派。ジャコバイト派）を援助していたので、その企てを阻止する狙いがありました。ウィリアム三世の執念を感じさせます。因みに、王位継承法は今でも有効で、同法による二〇一一年時点で継承権の最下位（四九七三位）はドイツの女性です。

✝多くを失ったフランスとスペイン

一七〇二年、事故でウィリアム三世が逝去すると、アン女王（在位一七〇二―一四）が後を継ぎ、初代マールバラ公ジョン・チャーチル（在位一七〇二―二二）を重用して戦争を遂行させました。なお、ネーデルラントとの同君連合は解消します。アメリカ植民地にも飛び火して、イングランドとフランスががっぷり四つに組合い、アン女王戦争（一七〇二―一四）が戦われました。

一七〇四年、ルイ一四世に仕えていた東洋学者アントワーヌ・ガラン（一六四六―一七一五）が「千夜一夜物語」を出版しました。なお「アラジンと魔法のランプ」「アリババと四〇人の盗賊」「シンドバッドの冒険」など原典にはない話が多数を占めています。同じ年に、イングランドは地中海の出入口であるジブラルタル海峡を占領しました。

一七〇七年、合同法によりイングランドとスコットランドが合併し、グレートブリテン王国を建国することになりました。

一七一〇年、ロンドンのセントポール大聖堂が完成します（六〇七年頃建設。大聖堂は五代目）。クリストファー・レン（一六三二―一七二三）が指揮を執りました。

一七一三年、スペイン継承戦争がユトレヒト条約で終結しました。大筋ではハーグ条約の通りとなりました。一〇〇年余、ルイ一四世は何を得たのでしょう。太陽王のフランスは日没を迎えていました。スペインは、フェリペ五世の継承は認められたものの、フランスとは永遠に合同しない事を約束させられました。スペ

ウィリアム3世

アン女王

インはまた、南ネーデルラント、ミラノ公国、ナポリ王国、サルデーニャ公国をオーストリア・ハプスブルク家に譲り渡しました。ハプスブルク家の領土は、フランスと並んでヨーロッパ最大となりました。グレートブリテンはジブラルタルを得、北アメリカではフランスからハドソン湾、アカディア（メイン州など）を得ました。

ジョージ1世

同じ年に二代目のプロイセンの王に即位したフリードリヒ・ヴィルヘルム一世は、のちに「兵隊王」と呼ばれますが、倹約に努め、徴兵制により強大な軍隊を築いていきます。なお、一七一四年にフランスとオーストリアとの間でラシュタット条約が結ばれましたが内容は同一です。

一七一三年、教皇クレメンス一一世（在位一七〇〇―二一）は、勅書ウニゲニトゥスを発出しました。これは初めてジャンセニスム（人間の意志の力を軽視し、腐敗した人間本性の罪深さを強調）を公的に弾劾したものです。

一七一四年、アン女王が死去しステュアート朝は断絶しました。ハノーファー選帝侯が後を継ぎ、ジョージ一世（在位一七一四―二七）となりハノーファー朝を開きました。同君連合の誕生です（グレートブリテン王とハノーファー選帝侯。この両者の関係は一八三七年にヴィクトリアが女王の位を継ぐまで続きました)。ジョージ一世は英語を懸命に学ぼうとしました。彼がハノーファーに戻ったのは生涯の凡そ五分の一でした。「王は君臨すれども統治せず」という慣行はこの頃から出来あがっていきます。

一七一五年にジャコバイト蜂起が起こります。スコットランドで第二三代マー伯、ジョン・アースキン(一六七五―一七三二)による反乱が起こると老僭王(ろうせんおう)ジェームズ・フランシス・エドワード・ステュアート(ジェームズ二世の遺児。一六八八―一七六六)が二度目のスコットランド上陸を果たしますが、不首尾に終わりました。

同じ年、ルイ一四世が死去しました。七七歳でした。七二年間、君臨した「大世紀」がここに終わりを告げたのです。

曾祖父一四世の崩御により五歳のルイ一五世(在位一七一五―七四)が後を継ぎました。フィリップ二世オルレアン公(在位一七〇一―二三)が摂政として国政を担う立場になりました。オルレアン公は、パリ(パレ・ロワイヤル)で執務を行いました。オルレアン・コレクション(絵画)が有名です。因みに、一七一八年に建設された北アメリカのニューオリンズは、オルレアン公にちなんだものです。

フィリップ2世オルレアン公

同じ年に教皇クレメンス一一世は、典礼（中国の伝統文化）論争におけるイエズス会の宣教方法を禁止しました。長年続いた論争は、ここに終止符を打ちました。イエズス会からは、ル・コント（一六五五—一七二八）の「中国の現状に関する新しい覚書」（一六九六年）などが出版されましたが、ドミニコ会など守旧派が勝利を収めました。

カール6世

イエズス会の「適応政策」は康熙帝（在位一六六一—一七二二）が嘉するところとなり典礼論争でもイエズス会の肩をもちました。一七七三年、イエズス会は最終的に教皇クレメンス一四世（在位一七六九—七四）によって禁止されました。復興は一八一四年になります。なおクレメンス一四世は、バチカン美術館を公開したことでも有名です。

スペインが、一七一七年、ヌエバ・グラナダ副王領（ボゴタが首都）を設置しました。これはヌエバ・エスパーニャ副王領（一五三五—一八二一。首都はメキシコシティ）、ペルー副王領（一五四二—一八二四。首都はリマ、次にクスコ）、リオ・デ・ラ・プラタ副王領（一七七六—一八一四。首都はブエノスアイレス、次はモンテビデオ）と四分したものです。

一七一八年、四カ国同盟戦争が起こります。スペインは、南イタリアの領土を決してあきらめませんでした。一二八二年のシチリアの晩禱以来、スペインがわが固有の領土とみなしてきた所です。スペインに、グレートブリテン王国、フランス王国、ハプスブルク帝国、ネーデルラントの四カ国、及びサヴォイア公国が挑みました。

戦争は、一七二〇年に終わりました。大勢は変わりませんでしたが、ハーグ条約で、サヴォイア公、ヴィットーリオ・アメデーオ二世（在位一七二〇―三〇）はハプスブルク帝国君主で神聖ローマ帝国皇帝のカール六世（在位一七一一―四〇）にシチリアとサルデーニャの交換を持ちかけ、その際、サルデーニャ王の称号を認めさせました。こうしてサルデーニャ王国が誕生しました。イタリア王国の前身です。シチリアは南の明るい豊かな国でおいしいワインもつくれます。しかしイタリア北西部に位置するサヴォイア家にしてみれば、近くのサルデーニャを手に入れたほうが国としてまとまります。遠くの一〇〇万石より近くの七〇万石という賢い選択であったのでしょう。

カール12世（スウェーデン王）

ピョートル1世

大北方戦争とロシアの台頭

スペインのどさくさに紛れて北方でも火の粉があがりました。大北方戦争（一七〇〇―二一）です。発端はバルト帝国、スウェーデンに若い王、カール一二世（在位一六九七―一七一八）が誕生したことです。まだ一四歳でした。これに対してロシア王、ピョートル一世（在位一六八二―一七二五）、デンマーク＝ノルウェーのフレデリク四世（在位一六九九―一七三〇）、ポーランド王のアウグスト二世（在位一六九七―一七〇六、一七〇九―一七三三。兼ザクセン選帝侯）の三人は秘かに領土の拡大を狙っていました。もちろん、バルト帝国（一六一一―一七一八。カール一〇世〈在位一六五四―六〇〉の時代が最大）がその狙い目です。三者は同盟を結び、スウェーデンに対して戦争を仕掛けました。これに対してカール一二世は迅速でした。まずデンマークに焦点を合わせたスウェーデン軍は、コペンハーゲンに急襲を仕掛けました。驚いたフレデリク四世は、トラヴェンタール条約（一七〇〇）を結んで、早々に反スウェーデン同盟から脱落しました。次ぎにロシアに向かったスウェーデン軍は、ナルヴァの戦い（一七〇〇）でロシア軍を大敗させます。気を良くしたカール一二世はポーランドに向かいました。

ポーランド・リトアニアは、一五七二年にヤギェウォ朝が絶えた後、選挙王政に移行していましたが、国王の権力が弱く不安定で大貴族（マグナート）による共和政に近い体制でした。カール一二世は、一七〇二年に国王アウグスト二世を破ったものの、国内の平定に二年もの歳月を要しました。カール一二世に敗れたロシアにとって、何より大切な「時間」を稼ぐ時が来ました。

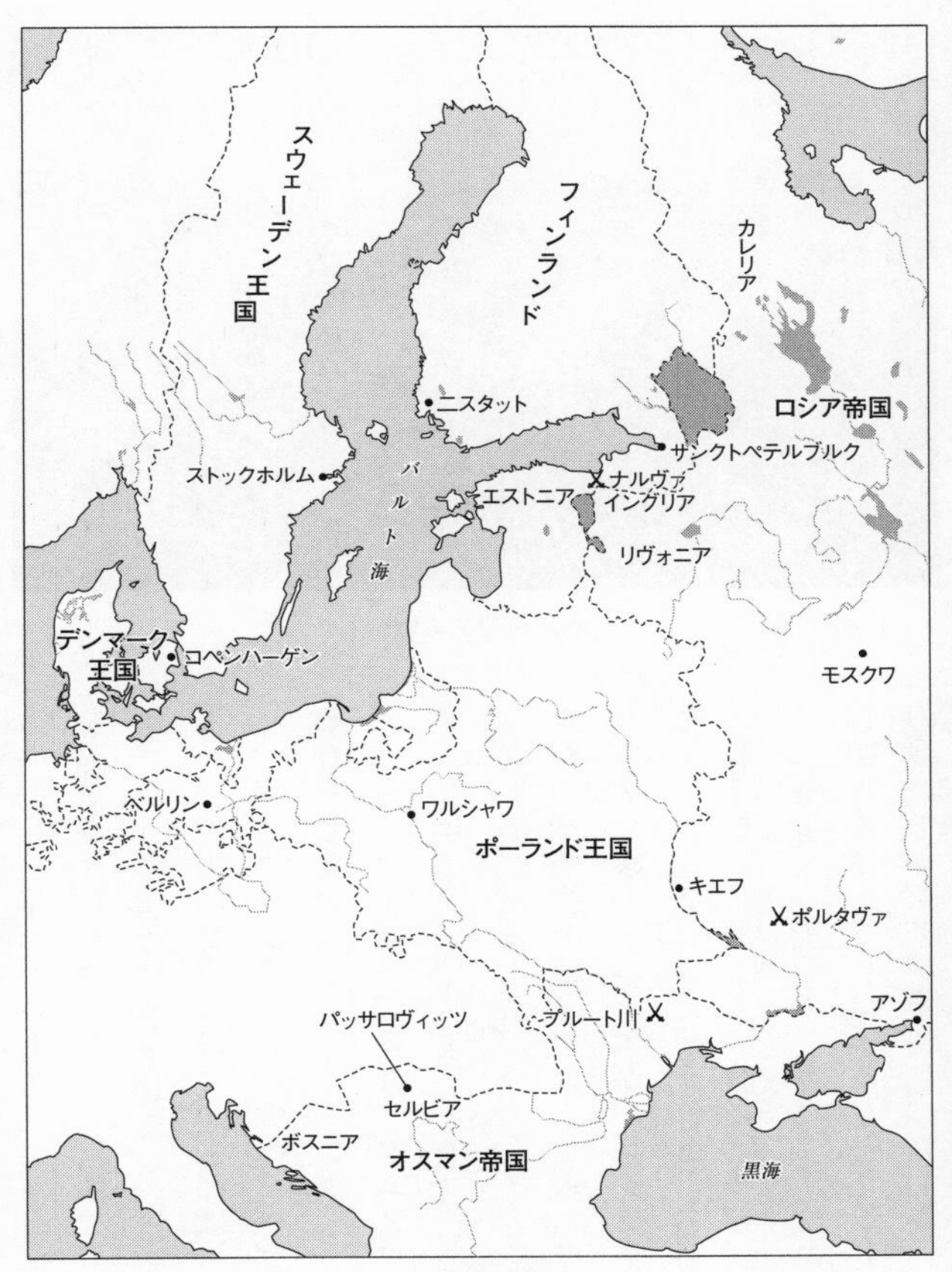
スウェーデン王国
フィンランド
カレリア
ニスタット
ロシア帝国
サンクトペテルブルク
ストックホルム
バルト海
ナルヴァ
エストニア
イングリア
リヴォニア
デンマーク王国
コペンハーゲン
モスクワ
ベルリン
ワルシャワ
ポーランド王国
キエフ
ポルタヴァ
アゾフ
パッサロヴィッツ
プルート川
セルビア
ボスニア
オスマン帝国
黒海

大北方戦争

ポルタヴァの戦い

一七〇三年、バルト帝国よりネヴァ川河口の要塞を陥落させたピョートル一世は、新都サンクトペテルブルクの建設に着工しました。念願の海（バルト海）への出口を得たのです。都は一七一二年に完成し、モスクワからサンクトペテルブルクに遷都が行われました。

一方、カール一二世はスタニスワフ・レシチニスキ（在位一七〇四―〇九、一七三三）をポーランドの王位に選ばせました。一七〇五年、ポーランドとワルシャワ条約を結んだカール一二世は一七〇七年、ロシアに攻め込みますが、ロシアでの補給は困難を極め、ロシアによる焦土作戦と冬将軍にスウェーデン軍は疲弊、弱体化しました。イヴァン・マゼーパ（一六三九―一七〇九）もヘーチマン国家の全力を出し切れませんでした。一七〇九年七月、ポルタヴァの戦いでロシアが勝利し、カール一二世はオスマン帝国に亡命しました。この後、反スウェーデン同盟は元に戻ります。

オスマン帝国のアフメト三世（在位一七〇三―三〇）は、一七一〇年、ロシアに宣戦を布告します。一七一一年、ロシア軍は罠にかかりピョートル一世は窮地に陥ります。プルート川の戦いです。ピョートル一世は、アゾフ要塞の返還に同意しました。あぶない所でした。アフメト三世はロシアを叩く絶好のチャンスを見逃しました。

一七一四年、カール一二世はスウェーデンに帰国しました。すぐさま、デンマーク＝ノルウェーと戦争を再開したのです。一七一八年、カール一二世はノルウェー攻撃中に戦死、後は妹のウルリカ・エレオノーラ（在位一七一八―二〇）、その次には王配のフレドリク一世（在位一七二〇―五一）が継ぎました。

一七二一年、「スウェーデンの死亡診断書」といわれるニスタット条約により大北方戦争が終結しました。ロシアはスウェーデンからカレリア、エストニア、リヴォニア、イングリアを獲得しました。そして、ピョートル大帝（一世）がツァーリ（ロシア皇帝）に戴冠されました。ロシア帝国の始まりです。海外領土をすべて失ったスウェーデンは、バルト帝国の崩壊に直面しました。

こうして大北方戦争は、バルト帝国からロシア帝国へとバルト海の覇権が移る形で終了したのです。一方、スウェーデン国内は親西欧派（ハッタナ党）と親ロシア派（メッソナ党）に分かれて動揺します。スウェーデンの半世紀にわたる議会統治の「自由の時代」（一七一八―七二）の到来です。王権が大幅に制限されたために起こった現象です。これは、グスタフ三世（在位一七七一―九二）の無血クーデターで終わりを告げました。グスタフ三世は、啓蒙専制君主として君臨しました。

ウォルポール

†内閣の始まり

一七二一年、ロバート・ウォルポール（一六七六―一七四五）がグレートブリテン初代首相（第一大蔵卿）となりました。責任内閣制の始まりです（一九〇五年になってから首相は正式な官職となりました）。ウォルポールは、二〇年以上にわたる安定政権を築き、グレートブリテンが国家として躍進する土台を築いたことで知られています。なお一七二〇年の南海泡沫事件（South sea bubble）はウォルポールの後処理で有名になりました。これは一七二〇年一月には一株あたりの価格は一〇〇ポンド強であったものが、六月二四日には最高値一〇五〇ポンドをつけた典型的なバブル事件です。

本業の貿易では振るわなかった南海会社が、ハイリスク・ハイリターンの国債引受会社とし

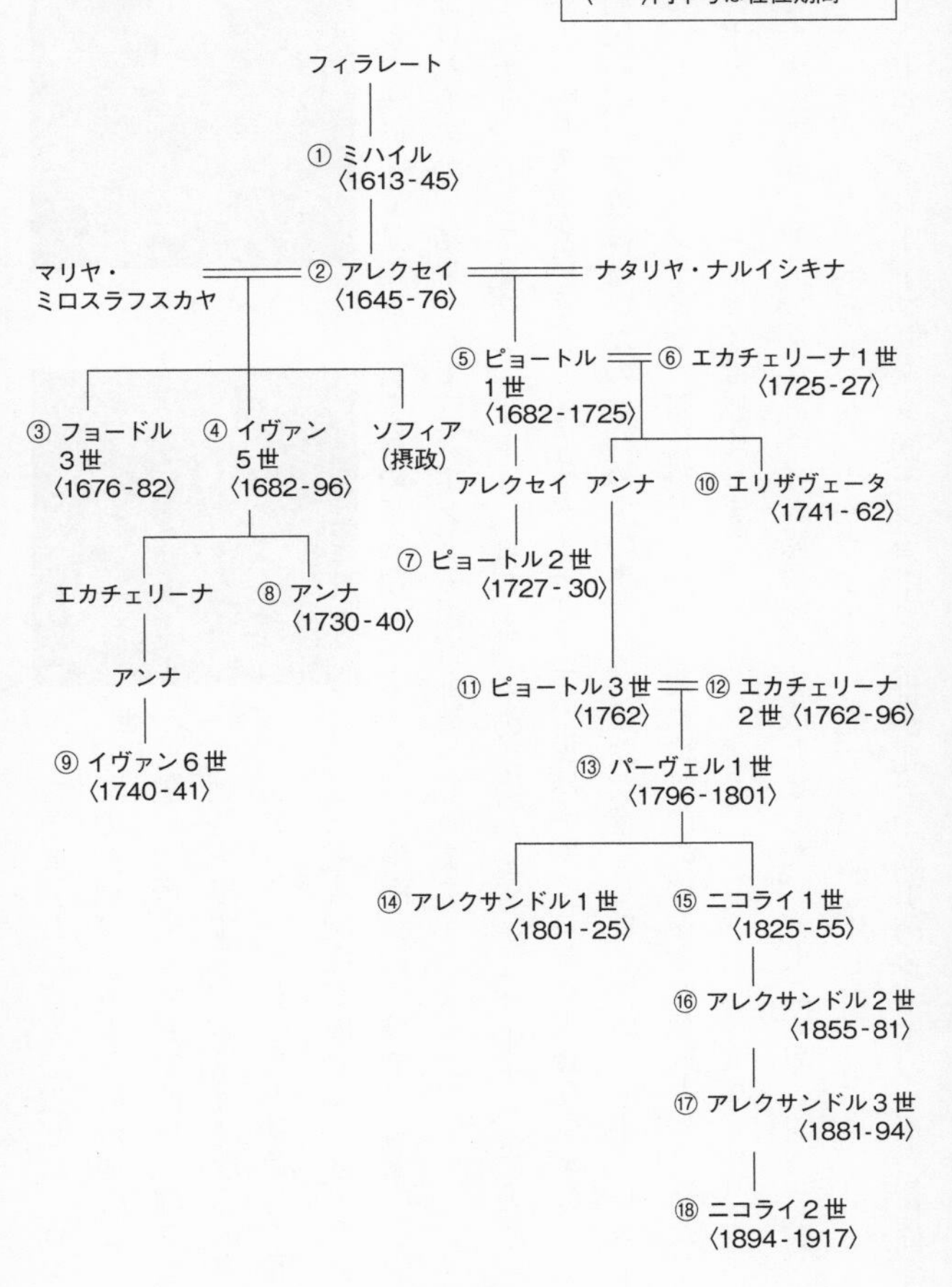
①〜④はモスクワ大公就任順
⑤以降はロシア皇帝就任順
〈　　〉内年号は在位期間
フィラレート
① ミハイル
〈1613-45〉
マリヤ・
ミロスラフスカヤ
② アレクセイ
〈1645-76〉
ナタリヤ・ナルイシキナ
⑤ ピョートル
1世
〈1682-1725〉
⑥ エカチェリーナ1世
〈1725-27〉
③ フョードル
3世
〈1676-82〉
④ イヴァン
5世
〈1682-96〉
ソフィア
（摂政）
アレクセイ
アンナ
⑩ エリザヴェータ
〈1741-62〉
⑦ ピョートル2世
〈1727-30〉
エカチェリーナ
⑧ アンナ
〈1730-40〉
アンナ
⑨ イヴァン6世
〈1740-41〉
⑪ ピョートル3世
〈1762〉
⑫ エカチェリーナ
2世〈1762-96〉
⑬ パーヴェル1世
〈1796-1801〉
⑭ アレクサンドル1世
〈1801-25〉
⑮ ニコライ1世
〈1825-55〉
⑯ アレクサンドル2世
〈1855-81〉
⑰ アレクサンドル3世
〈1881-94〉
⑱ ニコライ2世
〈1894-1917〉

ロマノフ朝系図

て急成長したことで生じた、ロンドンでの投機ブームとその破局のことです。驚いた政府が六月二四日に泡沫会社規制法を出すと、市場は沈静化の方向にむかっていきました。南海泡沫事件は会計監査制度が成立するきっかけになりました。当時王立造幣局長官を務めていたニュートンは、南海会社の株で一時七〇〇〇ポンドを儲けたものの、結果として二万ポンドの損害を被っています。

スウィフト

ジョージ2世

一七二五年、ロシア皇帝ピョートル一世死去、その皇后がエカチェリーナ一世（在位一七二五—二七）として後を継ぎました。エカチェリーナ一世は後妻でした。卑賤な生まれのリヴォニア農民の娘が帝位に就いたのは初めての事です。また女帝としても初めてです。ピョートル一世は、我が子アレクセイを、帝位継承権を奪った上に陰謀の罪をきせ死刑を言いわたしました。一七一八年、アレクセイは獄死します。

同じ一七二五年、ローマの「スペイン階段」が完成しました。一七二六年、ジョナサン・スウィフト（一六六七—一七四五）が「ガリヴァー旅行記」を出版しました。

一七二七年、グレートブリテン国王ジョージ一世が死去、嫡男のジョージ二世（在位一七二七―六〇）が後を継ぎました。王の名（ジョージ・オーガスタス）に因み、この時代をオーガスタン時代と呼びます。グレートブリテンが文学史上の隆盛期を迎えました。

同じ年、ピョートル二世（在位一七二七―三〇）がロシア皇帝に即位しましたが一七三〇年に天然痘のため死去します。ピョートル二世は、故アレクセイの息子でした。ロマノフ家の男系男子の血統はここに絶えます。ピョートル一世の兄で共同統治者であったイヴァン五世の四女、アンナ（在位一七三〇―四〇）が後を継ぎました。

†アウラングゼーブの治世のその後

アウラングゼーブ

一七〇七年、ムガル帝国は皇帝アウラングゼーブ（在位一六五八―）が死去しました。ムガル帝国軍はデカンを撤退しデカン戦争は終結しました。よく言えば敬虔（けいけん）な、はっきり言えば偏狭なムスリムであった彼は帝国の最大版図を実現しましたが、五〇年近く続いたその治世も末期になると、デカン高原を始めとした各地の叛乱と東インド会社（英）の進出によって、帝国内はガタガタになっていました。

一七〇八年、デカン高原のマラーター王国の再建国者であったシヴァージーの孫で、ムガル朝の捕虜になっていたシャーフ

シャーフー

カマルッディーン・ハーン

ー（在位一七〇八―四九）がムガル朝から解放されて、マラーターの王位に就きました。なお、マラーターとは、中世になって形成された新しいカースト集団の名前で、デカン高原に大きな勢力を持っていました。やがてこのデカン高原には多くのマラーター諸侯が共立するようになり、東インド会社（英）の侵略に対して、マラーター同盟（一七〇八―一八一八）を結成して戦います。

アウラングゼーブの後はバハードゥル・シャー一世（在位一七〇七―一二）が継ぎましたが、まもなく死去します。その後、四人の子供たちによる帝位継承戦争が始まります。佞臣サイイド兄弟が暗躍し、一七一三年から一七二〇年までの間に、四人も皇帝を替えるという愚挙によってムガル帝国を混乱させました。一七二〇年、ムガル皇帝ムハンマド・シャー（在位一七一九―四八）がハサンプルの戦いでアブドゥッラー・ハーン（兄。弟は刺客に暗殺）を激戦の末に破り、これによりサイイド兄弟の命脈は絶たれました。

一七二四年、デカン総督でもあった名宰相、カマルッディーン・ハーン（在位一七二四―四八）がムガル朝を見限り、シャカル・ケーダーの戦いで、デカンにニザーム王国（君主号）を

①〜⑰はムガル皇帝就任順
〈　〉内年号は在位期間

①バーブル〈1526-30〉

②フマーユーン〈1530-40、1555-56〉

③アクバル〈1556-1605〉

④ジャハーンギール〈1605-27〉

⑤シャー・ジャハーン〈1628-58〉

⑥アウラングゼーブ〈1658-1707〉

⑦バハードゥル・シャー１世〈1707-12〉

⑧ジャハーンダール・シャー〈1712-13〉

アズィーム・ウッシャーン

⑨ファッルフシヤル〈1713-19〉

ラフィー・ウッシャーン

⑩ラフィー・ウッダラジャート〈1719〉

⑪ラフィー・ウッダウラ〈1719〉

ジャハーン・シャー

⑫ムハンマド・シャー〈1719-48〉

⑬アフマド・シャー〈1748-54〉

⑭アーラムギール２世〈1754-59〉

⑮シャー・アーラム２世〈1759-1806〉

⑯アクバル２世〈1806-37〉

⑰バハードゥル・シャー２世〈1837-58〉

ムガル帝国系図

建てました。こうした地方長官の離反やラージプートなど小王国の自立、ザミーンダール（藩王。ムガル皇帝の宗主権を受け入れ自治あるいは半自治を行なった）の台頭などがムガル朝を弱体化させていったのです。

✝名君雍正帝

中国の税制は伝統的に人頭税が中心でした。普通に働ける人が何人いるかを調査して、唐代の租庸調から両税法、さらには明代の一条鞭法（いちじょうべんぽう）へと進化してきたのです。

一七一一年、清の第四代皇帝・康熙帝（在位一六六一―一七二二）は、在位五〇周年に伴い、丁銀（人頭税）の額を調査で登録された額に固定し、一七一一年以降に登録された人丁（一六歳から五九歳までの成年男子）に対する丁銀を免除しました。喜んだ民衆は、人丁の急増によってこれに応えました。人口が表に出て来て正確な人口が把握できるようになったからです。

一七一六年、広東省で地丁銀制が導入されました。これは従来の人頭税を無くして土地税（地銀）に一本化したことが重要であり（一括銀納）、中国の税制上の画期的な変革となりました。雍正帝（ようせいてい）の時代、さらに、地丁銀制は進んでいきます。

一七二二年、質実剛健で中国史上最高の名君と謳われた康熙帝が死去しました。もうあとちょっとで六二年です。第四子の雍正帝（在位一七二二―三五）が後を継ぎました。

なお、中国の歴代皇帝のなかで、廟号に「聖」の字が使われているのは聖祖康熙帝と、キタイの名君、聖宗の二人だけです。

雍正帝は秦の始皇帝や宋の太宗と並んで、三大ワーカホリックと言われるほどよく働く人でした。一日一五時間働いたと言われています。清には奏摺（そうしゅう）という制度がありました。奏摺とは、譬えて言えば、知事や市長と皇帝間の定期的なメールの交換です。地方の長官が上奏文（行政報告書）を皇帝に提出し、皇帝みずからそれをチェックし朱筆（硃批（しゅひ））を入れて、指示を送り返す作業です。この制度は康熙帝が始めたのですが、彼の時代は知事クラスだけだったので、一〇〇人程度だったそうです。それを雍正帝は市長段階まで拡大し、およそ一二〇〇人分のメールを定期的にチェックして、指示を送り続けました。これは相当に時間と知的労力のかかる仕事だったと思います。彼の下で地方の役人を務めるのは本当に大変でした。

雍正帝

また、康熙帝の時代に典礼論争が起こりましたが、雍正帝は思いきった決断をする人でしたから、それならば、と一七二三年にキリスト教の布教を禁じ、宮廷奉仕者以外の宣教師をマカオに追放しました。しかし、日本のような迫害・殉教は起こりませんでした。

雍正帝の時代に、太子密建（たいしみっけん）の法が生まれました。それは次のような経緯によります。名君康熙帝にも失政がありました。康熙帝は第

「正大光明」の間。乾清宮

二子の胤礽（いんじょう）を二歳で皇太子に決めて英才教育を施しました。ところが一七〇三年に胤礽の後ろ盾でもあったソンゴトゥがクーデターで失脚すると、胤礽は孤立して自暴自棄となりました。

一七〇八年、康熙帝は皇太子を正式に廃したのです。長子や第三子も次期皇太子にまつわる事件で姿を消しました。一七〇九年、胤礽をもう一度皇太子に立てますが、一七一二年、皇太子党なるものを築いたことを知ると再び廃嫡、康熙帝は二度と皇太子を立てなかったのです。

雍正帝は、ペルシャから伝わった一つのアイデアを採用しました。宮殿（乾清宮）の正面に「正大光明」と記された額がかかっています。その裏に、蠟（ろう）で封印した遺言の形で皇太子となるべき子供の名前を書いた証書を入れて置くのです。こうすれば皇帝の子供たちは、誰が皇太子かわからないので、一所懸命学問に励みます。もちろん遺言を書き変えることはいつでも自由です。

これによって皇太子を巡る争いには終止符が打たれましたが、この制度は必ずしも守られず、西太后のように密建によらずに幼帝を指名するケースも出てきました。もちろん次の乾隆帝（在位一七三五―九六）は、太子密建で選ばれました。

†ダライ・ラマに土地を寄進

グーシ・ハーンの子孫は、その後も青海湖周辺を治めましたがあまりの定見のなさに一七二三年、雍正帝は青海地方に出兵して、グーシ・ハーン一族を追い払いました。そして、雍正帝は一七二四年、チベットを二分し（青海省など四省）、ダライ・ラマの政府（ガンデンポタン）にチベット南西部を委ねます。ダライ・ラマ七世（在位一七二〇―五七、ケルサン・ギャツォ）です。この雍正帝の発想は、宗教界のトップが自分の安全と生活を守るために領土を持つという点で、ピピンの寄進（ローマ教皇領）と似ているように思います。

父の康熙帝が行った文人弾圧を、雍正帝も受け継ぎ何冊もの本が禁書となりました。有名なものでは、一七二六年、文字の獄があげられます。また、華夷思想については自ら論破し、「大義覚迷録（たいぎかくめいろく）」にまとめています。

雍正帝は「土司土官」（原住民の慣習に従いその統治を任せた一種の地方官）の置かれた地方（貴州ほか）を「流官」（正式の中央任命の官吏）による直接統治に切り換えます。特に一七二六年から三一年まで「改土帰流（土司から流官へ）」が行われました。

雍正帝は一七二八年、キャフタ条約を結んでロシアとの国境線を定めました。当時の皇帝はピョートル二世です。

ガルダン・ハーンが死亡した最後の遊牧国家（一六三七―一七五五）ジュンガルを引き継いだのはツェワンラブタン（在位一六九七―一七二七）でした。清とは一時的に友好的な関係でしたが、一七一五年、衝突が起こって以降、戦争状態となりました。当時ツェワンラブタンはロシアとの紛争に忙しく、一七二五年、両者は講和を結びます。一七二七年、ツェワンラブタンは、ヴォルガ河畔から使節が到着したすぐあとに毒を盛られて急死しました。後はガルダンツェリン（在位一七二七―四五）が継ぎました。

軍機処

一七二九年、雍正帝はジュンガル征討に際し、用兵の迅速と機密保持の目的で内閣の分局として軍機処（軍機房）を設けます。これは大人数の内閣制度では事態に即応するのが遅れがちなので、少数メンバーによる常務会を設けたようなものです。のちに常置され、内閣の権限を奪って一般政務をも審議し、国家の最高機関となっていったのです。

†「最後の征服者」ナーディル・シャーの時代

プルート川の戦いで勝利したにもかかわらず、ピョートル一世を逃がしてしまったオスマン朝のアフメト三世は、一七一六年、オーストリアに戦争を仕掛けました。

しかし、オイゲン・フォン・ザヴォイエン（一六六三―一七三六）の前に敗北してしまいます。オスマン朝は名宰相イブラヒム・パシャ（在任一七一八―三〇）を登用してオーストリアとの関係を修復させました。一七一八年、パッサロヴィッツ条約（現セルビアのポジャレヴァツ）が結ばれ、オスマン朝はセルビア北部やボスニア北部などを手放すことになりました。イブラヒム・パシャの献策で、オスマン朝は政情を好転させます。この安定期をアフメト三世が好んだチューリップの花にちなんで「チューリップ時代」と呼んでいます。なお、イブラヒム・パシャは一七三〇年、パトロナ・ハリルの反乱が起こると、彼は反乱勢力の要求により処刑されました。

一七二二年、アフガニスタンのギルザイの族長、ミール・ワィスの子、ミール・マフムードが、サファヴィー朝の都イスファハーンを占領しました。タフマースブ二世（在位一七二二―三二）は、イスファハーン攻囲戦のさなかに太子に指名されてカズヴィーンに避難しました。

ここで、サファヴィー朝の王として、即位します。

その後、ホラーサーンのマシュハド北方のアフシャール族の族長であったナーディル・シャー（在位一七三六―四七）の軍事的後ろ盾を得ます。ナーディル・シャーは実権を握ったのです。イスファハーンを落とされたサファヴィー朝の窮状を見て、オスマン朝とロシアは絶好のチャンスとばかり侵入を始めます。しかし、ナーディルは、オスマン軍やロシア軍を打ち破り、一七二九年、イスファハーンを奪還して、サファヴィー朝の旧領をほぼ回復しました。

ナーディル・シャー

こうしてサファヴィー朝は再建されましたが、ナーディルほどの男がいつまでもおとなしく摂政でおさまるはずもなく、一七三六年に自分が皇帝となってアフシャール朝を開きます。サファヴィー朝は二百数十年の歴史を閉じました。

古来、中央ユーラシアからは軍事の天才が登場します。チンギス・カアンやティムールもそうでした。

「ペルシャのナポレオン」とも呼ばれた軍事の天才ナーディルは、次にインドに向かい、一七三九年、デリーを占領しました。そしてこのムガル朝の首都で略奪の限りを尽くすと、コー・イ・ヌール（世界で一番大きいダイヤモンド）や、タージ・マハルをつくったシャー・ジャハーンの孔雀の玉座などをペルシャへ持ち帰りました。いまでもテヘランの中央銀行の地下室にある博物館でその宝物の一部を見られます。

さらにナーディルは、一七四三年、ペルシャ湾の入り口、ホルムズ海峡のオマーンも占領します。ナーディルは戦争に強いだけではなく、どこに富があるかがわかる人でした。ペルシャ湾ルートの富を押さえるには、その入り口であるオマーンが重要であると判断したのです。

このように戦争に強く決断力にも優れたナーディルのような人は、果断なだけに部下に信頼されますが、峻厳ですから恨みを持つ人も出てきます。「最後の征服者」ナーディルは、一七四七年に配下に暗殺され、アフシャール朝は一気に衰退に向かいました。

これを見て、アフガニスタンの武将アフマド・シャー・ドゥッラーニー（在位一七四七―七二）がモンゴルのトイやクリルタイの伝統を引くロヤ・ジルガ（大会議）を開き、一七四七年にドゥッラーニー朝を建国しました。彼は長い間、ナーディルに仕えてともに戦ってきたので、自分がアフガニスタンで自立しても、ナーディル亡き後のアフシャール朝には、ペルシャから攻撃に来る余力はないと判断したのでしょう。彼も優れた軍略家でした。

†ポーランド継承戦争

ヨーロッパの王室は、婚姻関係が入り組んでおり、ほとんどの王室がなんらかの血縁でつながっています。そこで、どこかで嫡子が絶えたり、女性が後継者になったりすると、自分にも権利があるとばかりに干渉してきます。ハプスブルク家やブルボン家がその典型でした。

スペイン継承戦争も大北方戦争も済んで、少し落着きを取り戻した一七二〇年には近代の息吹を伝えるような文化が生まれました。例えば、近代音楽に大きな功績を残したヨハン・セバスティアン・バッハ（一六八五—一七五〇）が、一七二三年にライプツィヒの聖トマス教会のカントル（キリスト教音楽の指導者）となりました。

一七三二年、教皇クレメンス一二世（在位一七三〇—四〇）が、トレヴィの泉の建設を命じました（一七六二年完成）。

しかし一七三三年に入ると、再び継承戦争が始まります。ポーランド王（兼リトアニア王）アウグスト二世が死去しました。この人はザクセン選帝侯でもありました。一七一〇年、ドレスデン近郊のマイセンにヨーロッパ最初の王立ザクセン磁器工場が創立されたのはこの王の時代です。またアウグスト二世は名うての女たらしで三六五人から三八二人ほどの子供の父親でした。嫡出子はアウグスト三世（ザクセン選帝侯在位一七三三—六三）、たった一人です。ともあれ、ポーランドは選挙王制でしたから、アウグスト二世の後継者を選ばなければなりません。

大北方戦争のときに一度王に選ばれたスタニスワフ・レシチニスキは、娘がルイ一五世の正妃となっていました。そこでフランスの後ろ盾で、もう一度ポーランド王に選ばれます。

ポーランド継承戦争（ダンツィヒ攻囲戦、1734年）

これに怒ったのはロシアです。ロシアはオーストリアと結び、ザクセンのアウグスト三世を推します。こうして一七三三年、ポーランド継承戦争が始まりました。お互いの陣容は、ザクセン・オーストリア・ロシア対ポーランド・フランス・スペイン・サルデーニャです。

サルデーニャ王国には、イタリアを統一したいという悲願があります。ところが北イタリアの要の地であるミラノは、オーストリアの領地なのです。ミラノを必ず奪取したい、というのがサルデーニャの参戦理由でした。結局、ポーランド継承戦争は、各国の国益を考えたら、これしかないという組み合わせで展開されたのでした。

ポーランド継承戦争の開戦から二年後の一七三五年、ウィーンで領土再編が図られ、平和が回復しました。スタニスワフはポーランド王に戻るこ

ジャン・ガストーネ

フランツ・シュテファン
（フランツ１世）

とは出来ませんでしたが、一代限りの王号を認められ、フランスが占領したロレーヌを与えられました（ロレーヌ公。在位一七三七―六六）。ロレーヌは現代のフランス北東部に当たる農業も鉱業も豊かな土地です。首都のナンシーには、いまもスタニスワフ広場と呼ばれる美しい広場があって世界遺産になっています。

フランスに領土を取り上げられたロレーヌ公は、トスカーナ大公国に国替えということになりました。メディチ家のトスカーナ大公国は後継者がなく、断絶がほぼ確実視されていたのです。二年後に最後のトスカーナ大公、ジャン・ガストーネ（在位一七二三―三七）が没し、大公位はロレーヌ公であったロートリンゲン家のフランツ・シュテファンが継承することになりました。なお、これに先立つ一七三六年、フランツはマリア・テレジアと結婚式をあげました。当時としては珍しい恋愛結婚でした。子供は男子五人、女子一一人の一六人です。

ところで、ジャン・ガストーネの姉、すなわちメディチ家の最後の生き残りであるアンナ・マリーア・ルイーザ（一六六七―一七四三）は、メディチが集めた美術品をフィレンツェからもちださないこと及び公開することを条件に、フィレンツェ政府に寄贈しました。メディチ家最後の当主の見識が偲ばれます。

このウィーン和議で、ハプスブルク家はスペインにナポリとシチリアを割譲しました。スペインに、ナポリとシチリアが戻るのは二〇年ぶり以上の事でした。ポーランド王には、ザクセン選帝侯アウグスト三世（在位一七三五―六三）が選ばれ、サルデーニャはミラノを獲得できませんでした。ポーランド継承戦争は、結局、オーストリアが損をした形で終わったのです。

†オーストリア継承戦争

ポーランド継承戦争が終わって五年後の一七四〇年、こんどはオーストリア継承戦争が勃発しました。

一七四〇年、プロイセン王国では、フリードリヒ二世（在位―八六）が即位しました。同じ年、オーストリア（ハプスブルク家）では、マリア・テレジア（在位一七四〇―八〇）が即位しました。ところで、神聖ローマ皇帝は男性でないと就けないという慣習があったので、ハプスブルク家は、マリア・テレジアの夫、トスカーナ大公のフランツ・シュテファンを推挙します。しかし、周辺諸国はマリア・テレジアの継承を認めず、オーストリアに攻め込んできたのです。

まず、フリードリヒ二世がさっさとシレジアを占領してしまいます。シレジアはポーランドにありますが、ボヘミア王国に帰属していたので、ハプスブルク家の領土でした。こうして、

オーストリア継承戦争（フォントノワの戦い、1745年）

プロイセンとオーストリアの間に戦争が始まりました。この開戦を見ていたザクセンやバイエルンもプロイセン側につきました。バイエルンのカール七世（在位一七四二―四五）は、一時期、帝位に就きました。非ハプスブルク系の皇帝はおよそ三〇〇年ぶりです。火事場泥棒を狙っていたのは、実はフリードリヒ二世だけではなかったのです。一七四五年になってフランツ・シュテファンは、神聖ローマ皇帝、フランツ一世（在位一七四五―六五）として即位しました。

ブルボン家は反ハプスブルクですから、プロイセン側につきました。するとブルボン家と対立するグレートブリテンとネーデルラントがハプスブルク側につきました。こうしてオーストリア継承戦争もヨーロッパ全体を巻き込んで行きます。特にグレートブリテンとフランスという二つの大国の争いは、スコットランド、新大陸、インドでも展開されました。

一七四五年にルイ一五世は、名誉革命後フランスに亡命していたステュアート朝ジェームズ二世の孫、若僭王チャールズ・エドワード・ステュアート（一七二〇—八八。ボニー・プリンス・チャーリー）をスコットランドに送り込みました。スコットランドの人々は彼の帰還を大歓迎して、イングランドに叛旗を翻します。しかし、彼我の戦力差は大きく、スコットランドはカロデンの戦いで大敗します。チャーリーは大陸に逃げざるを得ませんでした。これによりフランスを根拠地にして続いていた、ステュアート朝の復権を目指すジャコバイト運動（ジェームズのラテン形にちなみジャコバイトと呼ばれた）は、ほぼ終息しました。

また、新大陸では、一七四四年にグレートブリテンがフランスに対して、北アメリカを舞台にしたジョージ王戦争を起こします。結局、勝負はつきませんでした。

フリードリヒ２世

マリア・テレジア

一方、フランスは一七四六年、インドにおいてインド総督であるジョゼフ・フランソワ・デュプレクス（在任一七四二—五四）の活躍により、グレートブリテンの三大拠点のひとつマドラス（チェンナイ）を占領しました。これが、第一次カーナティック戦争（一七四四―四八）です。フランスの拠点ポンディシェリーとマドラスが戦いました。

さて、オーストリア継承戦争は、マリア・テレジアが一歩も退かずにがんばって戦線が停滞したまま、一七四八年に幕を閉じました。そしてアーヘンの和約が結ばれました。マドラスも返還され、八年の戦乱の結果は、戦争が始まった時点の状況に戻る、すなわちマリア・テレジアがシレジアを奪われた状態に戻るということで決着しました。

デュプレクス

という事で、彼女の悲願は実現しませんでした。

この後、ニザーム王国の内紛に乗じて、第二次カーナティック戦争（一七四九―五四）が起こります。デュプレクスは善戦しましたが、フランスがインドでの出費を嫌ってデュプレクスを召還してしまい、フランスのインド経営の努力は水泡に帰してしまいます。デュプレクスはパリで貧窮のうちに亡くなりました。

一七四九年、シェーンブルン宮殿が完成します。シェーンブルン・イエローが塗装カラーとして流行しました。

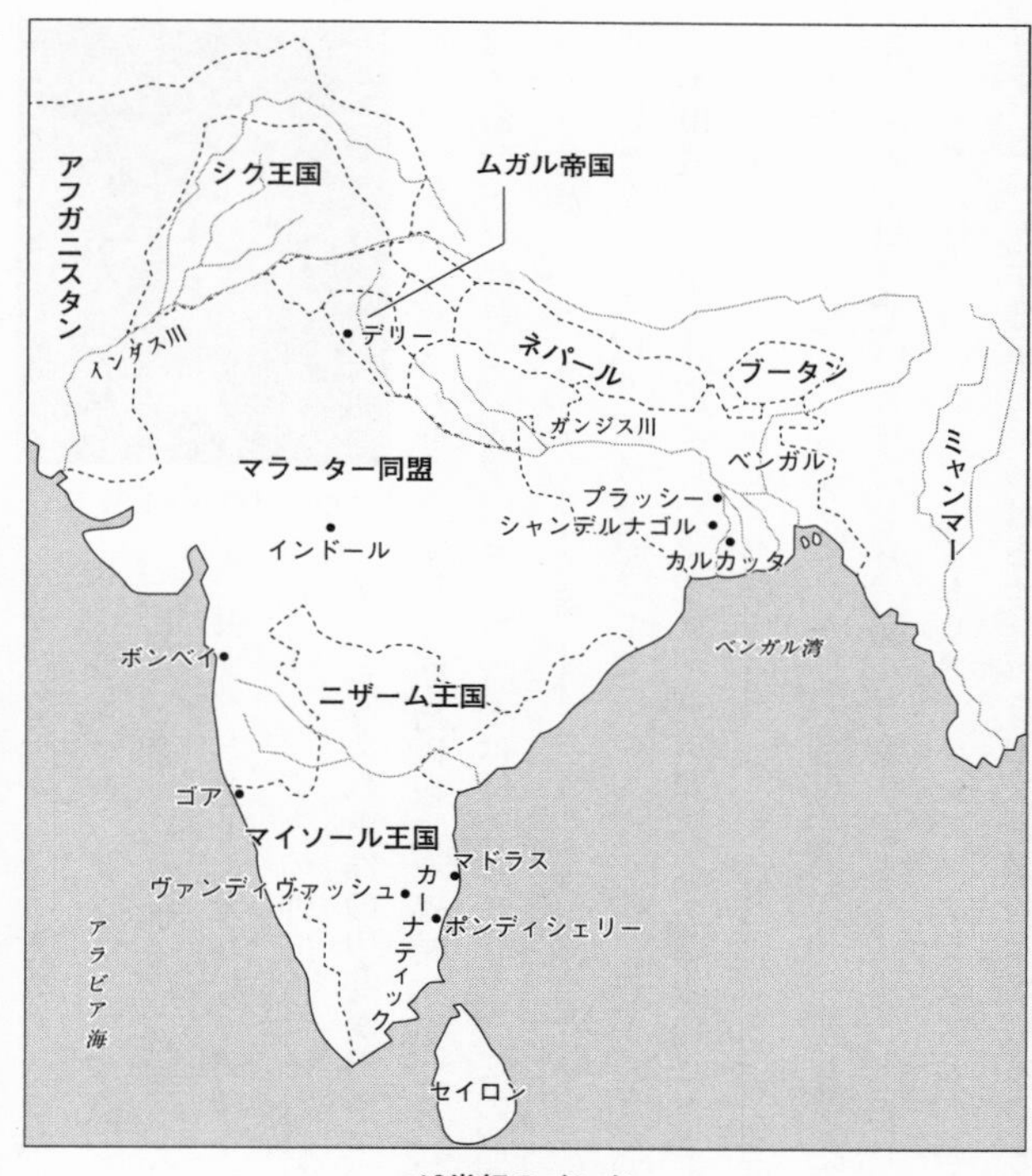

18世紀のインド

†外交革命と七年戦争

マリア・テレジアはフリードリヒ二世の火事場泥棒的行為を許せませんでした。そして、ハプスブルク家とブルボン家がいつまでも敵対関係にあるから、プロイセンを始めとするドイツ諸侯が漁夫の利を狙って介入してくるのだと考えました。いっそのことブルボン家とハプスブルク家が仲良くなれば、オーストリアに刃向かう国はなくなるのではないか。そう考えたマリア・テレジアは、腹心の部下、ヴェンツェル・アントン・フォン・カウニッツ帝国首相（在任一七五三―九二）を使ってフランスへの接近を試みました。

ポンパドゥール夫人が、間に立って仲介を務めたとよく言われますが、夫人の仲立ちはそれほど大きなものではないようです。ともあれ工作の甲斐があって、オーストリアは一七五六年

ウィリアム・ピット

に、フランスとヴェルサイユ条約（防衛同盟）を締結することに成功しました。これは、「外交革命」と呼ばれています。ヨーロッパは仰天しました。この同盟結成によって、マリア・テレジアの娘、マリー・アントワネット（一七五五―九三）が、フランス王太子（後のルイ一六世）に嫁ぐことも取り決められました。一七七〇年、両者の結婚式が行われました。

不倶戴天の敵を味方にしたマリア・テレジアは、さらにピョートル一世の娘であるロシアの女帝エリザヴェータ（在位一七四一―六二）に、対プロイセン包囲網の結成を働きかけました。エリザヴェータは、「フリードリヒ二世を元の選帝侯の地位まで落とすことが唯一の方法である」と固く信じていましたから、進んで乗ります。

一七五六年、ついに、オーストリア・ロシア・フランスの大連合とプロイセンの戦争が始まりました。七年戦争といわれます。フランスと敵対しているグレートブリテンはプロイセン側

について参戦します。ただし、グレートブリテンを実質的に指導したウィリアム・ピット（首相在任一七六六―六八。院内総務一七五七―六一）は、大陸には軍勢を振り向けず（金銭援助が中心）、もっぱらインドや北米での戦いに注力しました。そしてフランス勢力の駆逐に成功し、のちの大英帝国の基礎を築いたのです。

七年戦争（ツォルンドルフの戦い。1758年）

フリードリヒ二世は、満を持して攻撃してくるオーストリア軍とロシア軍に窮地に立たされます。一七五九年、クネルスドルフの戦いで大敗し、フリードリヒ二世は、軍の指揮官を一時離れます。気を取りなおしてプロイセン軍を立て直しますが苦戦は免れず、ベルリンを占領されてしまいました。

フリードリヒ二世の運命は風前の灯となったのですが、一七六二年に奇跡が起こります。ロシアの女帝エリザヴェータが死去して、甥のドイツ人、ピョートル三世（在位一七六二）が即位したのです。ピョートル三世は、子供の頃から戦争ごっこが大好きで、フリードリヒ二世を崇拝していました。ピョートル三世は、単独でフリードリヒ二世と和解して軍を引き揚げてしまいます。

ロシア軍は激怒しました。圧倒的に優勢であったのに突然、賠償金もなしで放棄されたのです。怨嗟の声が国中に溢れます。ピョートル三世の妃エカチェリーナも、やはりドイツ人でした。しかし、ドイツの貧しい貴族の家に生まれた聡明な彼女は、ロシアの大地にみずからの運命を賭けます。ピョートル三世即位

エカチェリーナ2世

半年後に起きたクーデターの先頭には、彼女がいました。こうしてエカチェリーナは、エリザヴェータの後を追うように、エカチェリーナ二世（在位一七六二—九六）としてロシア皇帝に即位します。そしてこれから三〇年余り、ロシアに君臨するのです。

この七年間続いた戦争は、一七六三年のパリ条約で終結しました。これはグレートブリテンとフランス、スペイン間の講和条約です。この条約には、プロイセンとオーストリアは含まず、この二カ国は五日後に別途フベルトゥスブルク条約で講和を結びました。シレジアは戻りませんでした。

マリア・テレジアの考えた外交革命は画期的ではありましたが、無理があったと考えられています。フランスのルイ一四世は、ライン川が東の自然国境であると言って、間断なくドイツ領内への侵略を続けていました。そのためドイツには、フランスは許せないという気持があり

ます。ところがドイツの大将格ともいうべきハプスブルク家が、シレジアを取り戻したい一心でブルボン家と手を結んでしまったのです。このことは、ドイツ諸侯にしてみればどうも感情的にしっくりきませんでした。結局、外交革命は、ドイツの盟主の座がハプスブルク家からプロイセンのホーエンツォレルン家に徐々に代わっていく契機となりました。このマリア・テレジアの政策を、女性の浅知恵の代表のように捉える説もあります。それはとんでもない女性蔑視です。女性か男性かの問題ではなく、ハプスブルク家の能力の問題だと理解すべきです。

プラッシーの戦い（戦闘後、ベンガル太守と面会するクライヴ）

一方、七年戦争の陰の主役であったフランスとグレートブリテンについて見ると、フランスの衰退が顕著でした。インドでは、一七五七年に、インド東部ベンガル地方のプラッシーの戦いで、ロバート・クライヴ（一七二五—七四）の率いる東インド会社（英）軍が、フランス・ベンガル太守連合軍に大勝します。ベンガル太守はムガル朝の地方長官ですが、地方政権化していました。さらに一七五八年、第三次カーナティック戦争が始まります。一七六〇年のヴァンディヴァッシュの戦いが天王山でした。フランスは敗れて、事実上インドでの権益をほとんど失いました。

北米では一七五四年、フレンチ・インディアン戦争が始まります。ここでもフランスは敗北します。北米大陸の大半を占めていた広大なヌーベル・フランスの中心地、ケベック（一七五九）やモントリオール（一七六〇）が陥落し、ヌーベル・フランスが崩壊しました。そしてミシシッピー川以東の地は、すべてグレートブリテン領となりました。またルイ一五世は、フランスに与して戦ったスペインがフロリダを失ったので（グレートブリテンに割譲）、その代償として北米大陸の中南部にあったニューオリンズとルイジアナをスペインに譲ります。こうしてフランスは、七年戦争の結果、苦労して植民したアメリカ大陸の領土をすべて失ってしまったのです。この条約は「フランス史上最もみじめな条約」と呼ばれています。

ルイ一五世は無能でしたが、有能なアンドレ＝エルキュール・ド・フルーリー枢機卿（一六五三―一七四三）の後を継いだ幕僚たちも同様に無能でした。リシュリューやマザランのDNAはどこへ行ってしまったのでしょうか。ルイ一五世は、ポンパドゥール夫人など愛妾の多さで歴史に名を残しています。

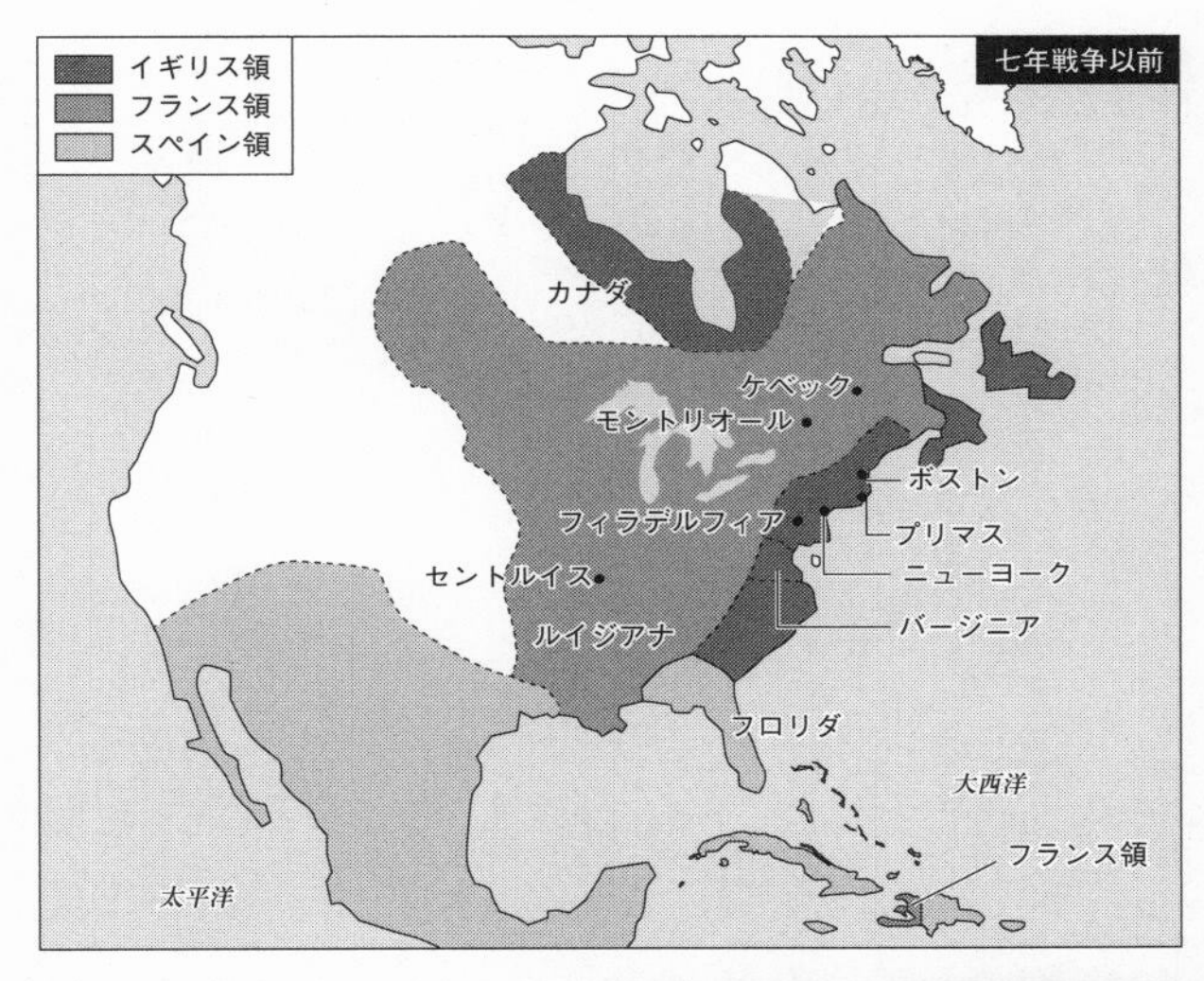
七年戦争以前
イギリス領
フランス領
スペイン領
カナダ
ケベック
モントリオール
ボストン
フィラデルフィア
プリマス
ニューヨーク
セントルイス
バージニア
ルイジアナ
フロリダ
大西洋
フランス領
太平洋

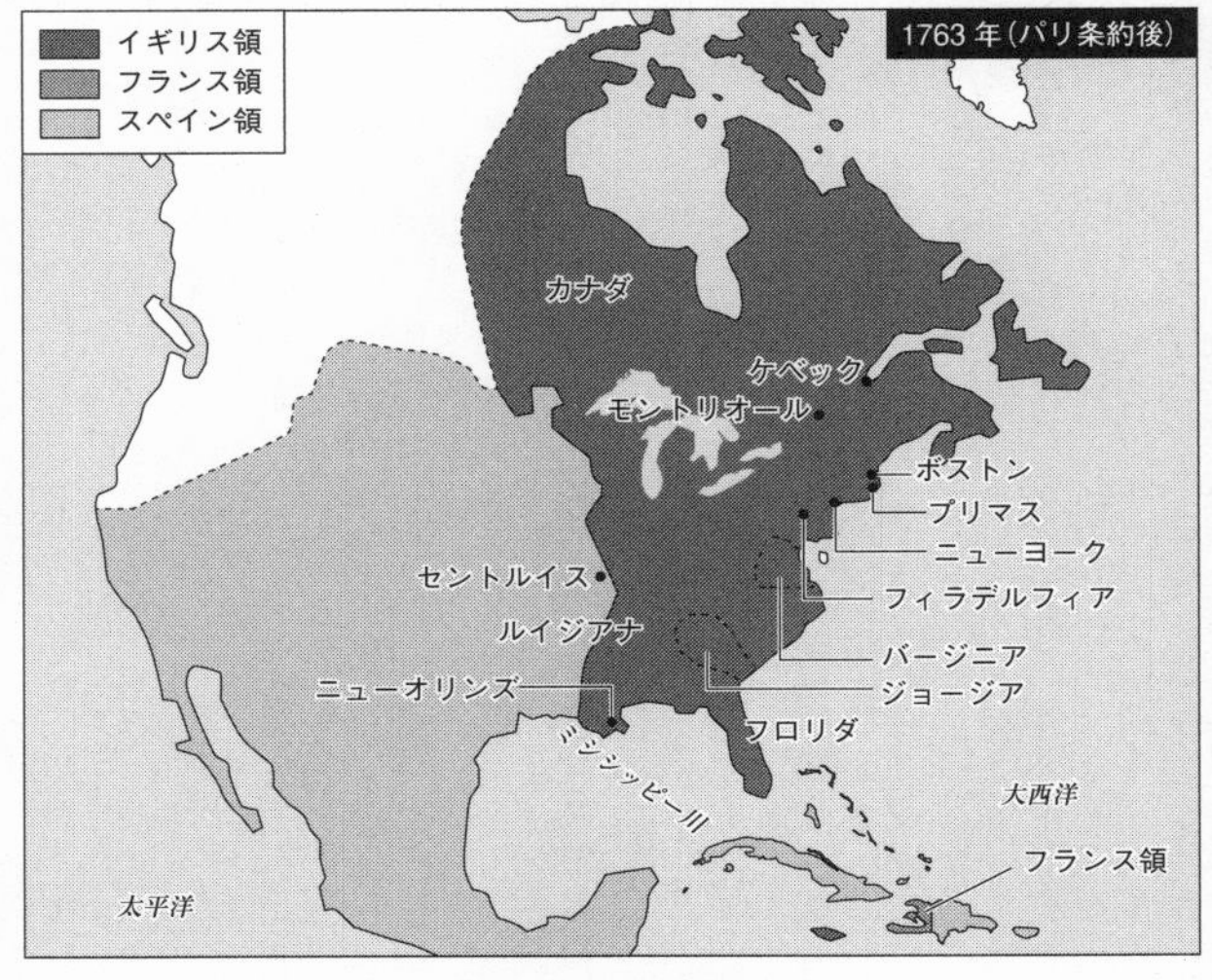
1763 年(パリ条約後)
イギリス領
フランス領
スペイン領
カナダ
ケベック
モントリオール
ボストン
プリマス
ニューヨーク
セントルイス
フィラデルフィア
ルイジアナ
バージニア
ニューオリンズ
ジョージア
フロリダ
ミシシッピー川
大西洋
フランス領
太平洋

北米大陸の植民地

(2) 産業革命と乾隆帝

†産業革命

産業革命がなぜグレートブリテンで起きたのでしょうか。それは産業革命が、インドのまねをすることから始まったからです。

グレートブリテンは何度もネーデルラントと戦いましたが、ついにモルッカ諸島もインドネシアも奪取できず、香辛料もあきらめざるを得ませんでした。そこで、たしかな橋頭堡を築いていたインドで我慢しようと決心します。さて、あらためてインドを見つめなおしてみると、この国のGDP（国内総生産）がとても大きいことに気がつきました。

それは綿織物を生産しているからでした。化学繊維のない時代、木綿は衣服の基本でした。毛織物や絹織物は、需要の量ではたかが知れています。ほとんどの人間が普段着ているものは、今日でも木綿が中心です。インドは綿織物の主要生産国で、その需要は世界中にあったのです。

中国とヨーロッパを結ぶ海上交易の船が入港するたびに、船員は競って綿織物を求めるのが常でした。

「我々も綿織物をつくろう」グレートブリテンはそう考えました。幸いにも、ネーデルラントには及ばないにしても毛織物の技術は持っていました。アメリカでは綿花が大量に生産されています。やってできないことはないと考えたのです。

おりから、鉄をつくる高炉の燃料として森林の伐採が進み、森林破壊が極限近くまできていました。そこで高炉の火力を木炭から石炭に変えようとしていたところ、実にタイミング良く、エイブラハム・ダービー一世（一六七八―一七一七）が、一七〇九年にコークスを使って鉄をつくるコークス製鉄法（東アジアでは中国の宋の時代に開発。宋の方が七〇〇年以上早い）を開発しました。因みに一七三五年、初めてコークス高炉操業により銑鉄を生産、実用化したのは、エイブラハム・ダービー二世（一七一一―六三）で、一七七九年、アイアンブリッジ集落に世界初の鉄橋アイアンブリッジ（世界遺産）を架橋したのは、エイブラハム・ダービー三世（一七五〇―八九）です。

コークスは木炭より圧倒的に火力が強いので、石炭の需要が急増して採掘が盛んになりました。ところが、石炭鉱山は地下水の多い地帯にあったので、今度は炭鉱の排水が問題になります。一七一二年、トーマス・ニューコメン（一六六三―一七二九）が、蒸気機関を改良して排水用のポンプを発明しました。

　蒸気機関そのものは、紀元前後のアレクサンドリアで発明されていたのですが、初めて実用化されたのです。この蒸気機関の実用化が、綿織物産業に大きな変革をもたらします。

ジョン・ケイ

ワット

　綿織物業界では、一七三三年にジョン・ケイ（一七〇四―八〇）が、「飛び杼」を発明し、織物の横糸を機械で通せるようになりました。この発明で綿布づくりのスピードが大幅にアップしました。例えば、六人掛けテーブル一面の広さを織るのに、手作業では一日かかっていたものが「飛び杼」を使ったら一時間で織れた、といった具合です。こうなると織物工場からは、もっとたくさんの糸が欲しい、という声が出るようになります。
　これに応えて一七六四年、ジェームズ・ハーグリーブス（一七二〇―七八）が生産性を高めたジェニー紡績機を発明したのを皮切に、一七六九年にはリチャード・アークライト（一七三二―九二）が水車を使って糸を紡ぐ水力紡績機を発明します。
　次に、ジェームズ・ワット（一七三六―一八一九）が一七六五年、蒸気機関を改良します。これまでの蒸気機関はピストン運動なので炭坑の水を汲み出すには便利でしたが、紡績には不向きでした。ワットはピストン運動を円運動に転換できるように、蒸気機関を改良したのです。一七七六年、ついに最初の業務用に実働する動力機関が組み上がりました。これは鉱山の立坑底部に取りつけたものです。

なお、有名な式にA（アンペア。電流）×V（ボルト。電圧）＝W（ワット。消費電力）がありますが、それぞれ、電気について先駆的な研究をしたアンドレ＝マリ・アンペール（一七七四―一八三六。仏）、アレッサンドロ・ボルタ（一七四五―一八二七。電池の発明者として有名。伊）、それにワットをしのんで名付けられました。

一七七九年にはサミュエル・クロンプトン（一七五三―一八二七）がミュール紡績機（ジェニー紡績機と水力紡績機の長所を取り入れ）を発明し、これにより、インド産に匹敵する品質の綿織物が生産されるようになりました。

カートライト

そして一七八五年、エドモンド・カートライト（一七四三―一八二三）が蒸気機関を活用した自動織機（力織機）を発明しました。続いて一七八九年、ついに実働に耐え得る力織機が完成しました。優に半世紀を超える壮挙でした。この一連の技術革新によって、グレートブリテンの綿織物の生産力は、何十倍、何百倍という形で増大しました。繊維産業は手工業時代から、工場制の機械工業時代に入ったのです。

一方で長い間、綿織物をほぼ独占して輸出産業の中心にしてきたインドは、すべてが熟練工による手作業でした。蒸気機関を使った機械との競争になったら、もう勝てるはずがありませんでした。

†両腕を切り落とされたインド

産業革命が起こった頃の世界の人口は、約七億二〇〇〇万人です。この頃からヨーロッパで人口転換（多産多死から少産少死へ）が始まります。人口転換の前期には多産少死により人口爆発が生じます。それは新大陸が吸収しました。

当時のインドはムガル朝が支配していましたが、すでに往年の統治力はなく、デカン高原などには、マラーター同盟やニザーム王国など大きな半独立国も目立ち始めました。またアジアの植民地経営の拠点をインド一本に絞ったグレートブリテンは、フランスを排除して独占的な権益を握り、すでにインドを実質支配しつつありました。その支配を第一線で担っていたのが東インド会社（英）です。

綿織物の輸出国から輸入国へと変化し（一八一三年に対インド貿易が自由化され、インドの綿織物産業が壊滅）、貧しくなり始めたインドに対して、のちに東インド会社（英）は、輸出作物

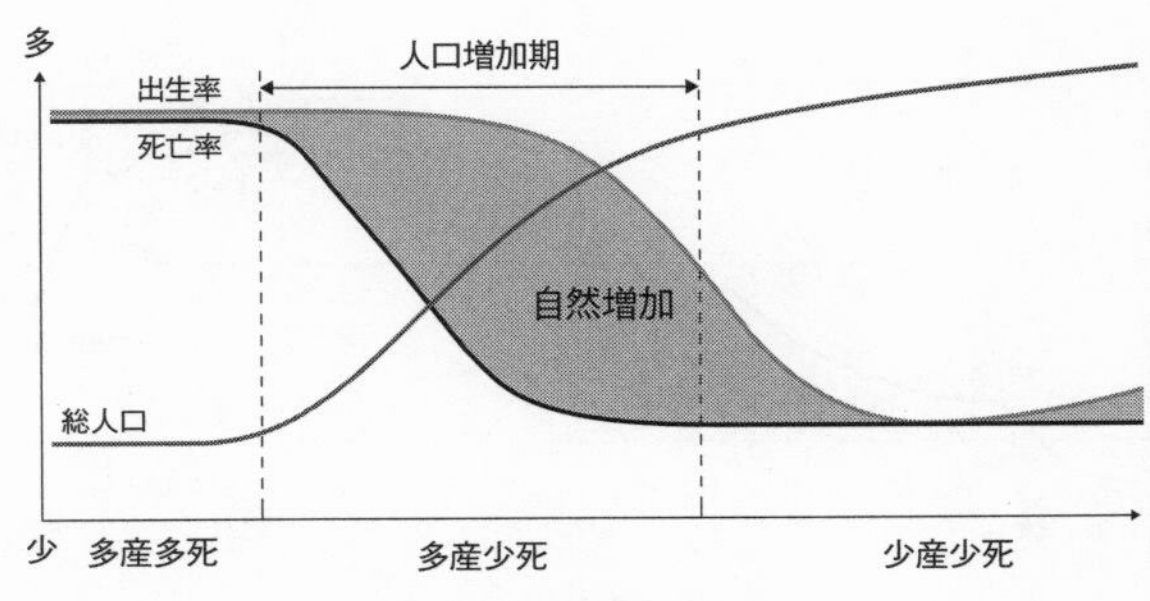

人口転換のモデル図

（茶・コーヒー・ジュート・ゴム・アヘンなど）の増産を奨励していきます。

貧しくなったインドは、輸出作物（換金作物）の生産に精を出し、その結果、食糧生産が減少して、食糧を輸入しなければならなくなってしまうのです。

かくしてインドは、最大の収入源であった綿織物を奪われ、さらに輸出作物にウェイトを置いたために、自給自足経済まで奪われました。このインドのことを、後世の人は「両腕を切り落とされた」と表現しています。

東インド会社（英）は、独立採算制でした。フランスと戦うのも、ベンガル兵と戦うのもグレートブリテンの軍隊です。しかし、その軍隊派遣に要する費用や食糧費は、東インド会社（英）の負担です。本国の議会はその費用を肩代わりなどしてくれません。インドのことに税金は回しませんよ、という理屈です。

そうすると東インド会社（英）は、動けば動くほど本国に

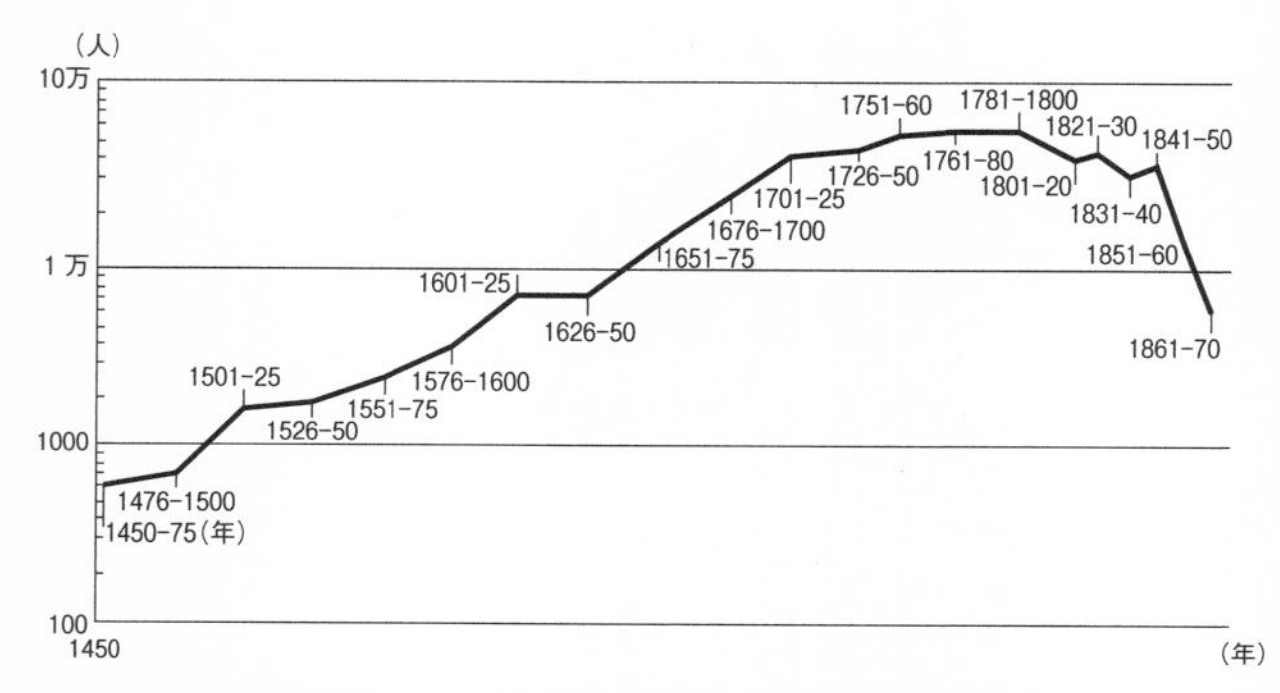

大西洋奴隷貿易の総移入量の推移（1450―1870年。年平均、人数）Curtin, P.D., *The Atlantics Slave Trade : A Census,* Univ. of Wisconsin Press, 1969, p.266.「近代国際経済要覧」宮崎犀一ほか、1981より

対して債務が増加します。ですからいつも自転車操業で赤字になる。それをカバーするには、インドの民から収奪して収入を得るしかないのです。

結局、グレートブリテンのインド経営は、本国の負担を限りなくゼロにしてすべてインド亜大陸から搾取する方法を採りました。本国の手は汚さず、憎まれ役はすべて東インド会社（英）が演じたのです。

産業革命がグレートブリテンで最初に起こった理由については、さまざまな点が指摘されています。世界に先駆けた重商主義の実践により資本の蓄積があったとか、大西洋三角貿易で日用品や銃火器を西アフリカに売ってアフリカ人を購入し、彼らをアメリカに奴隷（「黒い積荷」）として輸出し、アメリカからは砂糖（「白い積荷」）や綿花を輸入して資本をさらに増大させたとかいろいろあります。けれども歴史の大きな流れのなかで見ていくと、やはりインドとの関係が産業革命は、一番大きいのです。

✝中華帝国の最後の輝き、乾隆帝の時代

名君雍正帝を継いだ乾隆帝(けんりゅうてい)の時代は、一七三五年から一七九六年まで続きます。乾隆帝はルイ一四世同様に派手な性格の君主でした。

ジュゼッペ・カスティリオーネ（一六八八―一七六六）は、一七一五年に清にイエズス会宣教師として渡り、宮廷画家として仕えるようになりました。一七四七年には円明園付属の西洋楼海晏堂(かいあんどう)の建設が始まります。有名な海晏堂の十二支像は一八五六年のアロー戦争による円明園廃墟の禍を免れて一九三〇年頃まで中国にありましたが、その後バラバラにされ世界に散っていきます。

一七四八年、シャルル・ド・モンテスキュー（一六八九―一七五五）の「法の精神」が刊行されました。彼は、政治権力を立法・行政・司法に三分割する分立論を提唱しました。

一七五一年、ドゥニ・ディドロ（一七一三―八四）らにより、「百科全書」が刊行されます（―一七七二年）。ジャン・ル・ロン・ダランベール（一七一七―八三）とともに共同編集者となりました。

同じ年、乾隆帝は巡幸を始めます（第一次南巡）。これは、始皇帝の時代から始まったもので全国を巡回する行事です。それまでの歴代の清の皇帝はみんな質素でした。その質素振りは、例えば康熙帝の時代、後宮（ハレム）にかかる一年間の経費は、明の時代の一日分であった、という逸話が残されているほどです。

ところが乾隆帝は贅沢な江南巡幸を六回も行いました（六巡南大）。飛行機も新幹線もない時代です。さぞかし時間もお金もかかったことでしょう。南巡中の乾隆帝をもてなすために、中国の人々は満漢全席という中国料理を完成させました。山海の珍味三二種類を含め一〇〇品前後のごちそうを三日間食べ続ける宴席料理です。こういう贅沢な、しかし素晴らしい料理は、贅沢好きな君主がいて初めてできあがるのです。優れた文化の誕生には、そういう面がしばしば見られます。満漢全席は多彩な食材を必要とします。おかげで日本の俵物がたくさん輸出されました。煎りナマコや干しアワビ、フカヒレです。実はこの頃、日本では、佐渡の金山も石見の銀山もほとんど掘り尽くしてしまって、もう別子の銅ぐらいしか輸出するものがなかった

モンテスキュー

ディドロ

のです。乾隆帝のおかげで、俵物という新しい輸出商品ができました。

一七五二年、アメリカのベンジャミン・フランクリン（一七〇六―九〇）が、雷が電気であることを凧揚げ実験で証明しました。「フランクリン自伝」は有名で、アメリカ合衆国建国の父の一人として讃えられています。

一七五三年、スウェーデン人のカール・フォン・リンネ（一七〇七―七八）の「植物の種」が刊行され学名が初めて用いられるようになりました。リンネは「分類学の父」と称されています。同じ年、グレートブリテンで、博物館法が制定され大英博物館が設立されました。一般公開は一七五九年からです。

一七五五年、清がジュンガル（部）を滅ぼし、東トルキスタンを新疆と名付け藩部としました。清の領土は最大となりました。ジュンガルは「最後の遊牧国家」と呼ばれています。乾隆帝はあわせて一〇回の外征（十全武功）を誇り、十全老人と称しました。ジュンガル（三回）、四川（二回）、ゴルカ（二回）、台湾、ミャンマー（コンバウン王朝。一七五二―一八八六）、ベトナム（西山朝。一七七八―一八〇二）で、一七四七年から一七八九年まで断続的に続きました。なお、ゴルカ、台湾、ミャンマー、ベトナムは各々のところで後述します。

乾隆帝

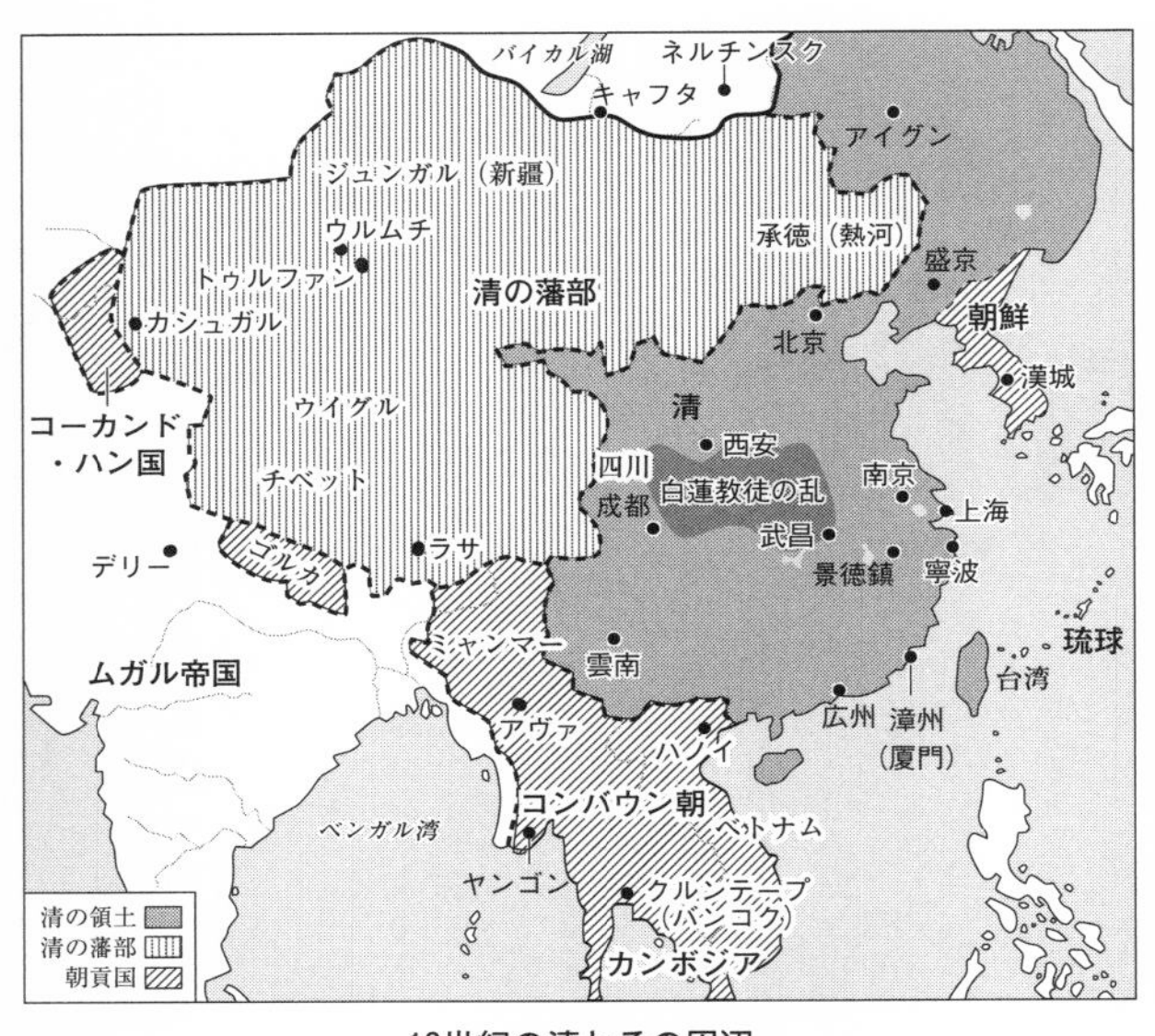

18世紀の清とその周辺

一七五七年、清が西洋と交易を広州一港に限定し、特許を得て貿易にあたった商人を公行（コホン）と呼んで貿易を許可するシステムに移行しました（大蔵省に相当する「戸部」の免許を受けた「行商」だけで、それが「公行」）。十三行あったと言われています。中でも潘氏や伍氏は有名です。

　産業革命によって、グレートブリテンの綿織物工場はフル稼働に入ります。労働者は長時間労働で疲弊して能率が低下します。そこで気付け薬が必要になります。スペインはポトシ銀山で先住民にコカの葉を嚙ませて働かせましたが、同じ役割を果たしたのが紅茶でした。紅茶に砂糖をたくさん入れて短

公行時代の広州の風景

い休憩時間に飲ませたのです。紅茶の需要は急増しました。砂糖は北米大陸から入手できますが、お茶は中国の独占商品です。中国は大元ウルスの時代を例外として、朝貢貿易を原則としています。中国の皇帝の徳を慕って外国から貢ぎ物を持ってあいさつにやってくる、それに対してお返しをする、という交易の形です。しかも世界の最先進国であり、ほとんどの物品を国内で生産する中国は、そもそも自分から交易を行う必要性を感じないのです。

一昔前、康熙帝は一六八四年に海禁を解除し、一六八五年四港を開きました。上海、寧波、漳州（しょうしゅう）（厦門（アモイ））、広州の四港です。乾隆帝は一港に絞り、ギルドが間に入る広州システムを成立させました。彼我の国力を考えれば、恒常的にお茶が欲しいグレートブリテンは従うしかありませんでした。

一七五八年、ハレー彗星が接近しました。実は、天文学者エドモンド・ハレー（一六五六―一七四二）は、この彗星が約七五年周期で出現することを一七〇三年に予言し、次の接近が一七五八年になると発表していたので、彼の名を取りハレー彗星と呼ぶのです。なおハレー彗星の出現は古く、紀元前二四〇年には「史記」が記録しています。

ルソー

一七六一年、第三次パーニーパットの戦いが起こります。南からマラーター同盟と北からドゥッラーニー朝アフガンが、死力を尽くして戦いました。結果は、敗れたマラーター同盟は南に下がりましたが、勝利したはずのドゥッラーニー朝も本国で内戦が生じたために北へ引き上げました。ムガル朝は辛くも生き延びました。
一七六二年、ジャン＝ジャック・ルソー（一七一二―七八）がパリで「社会契約論」を刊行しました。ルソーは、政治が一般意志に服従した人民主権（国民主権）の体制であることを理想としたのです。この本は、アメリカ独立戦争やフランス革命の知的バックボーンのひとつとなります。
一七六三年の人口調査で、清は初めて二億人を突破しました。同じ年には「紅楼夢」の作者、曹雪芹（一七一五頃—）が死亡しました。清代の貴族の豪華な生活を描いて評判になった大長編小説で、プルーストの「失われた時を求めて」や紫式部の「源氏物語」と並び称される世界文学の最高傑作です。

†インドの黄昏

ムガル朝の皇帝シャー・アーラム二世（在位一七五九—一八〇六）は、一七六四年、アワド太守シュジャー・ウッダウラ、前ベンガル太守ミール・カーシムとの間で三者同盟を結成し、東インド会社の元にあるベンガルを取り戻すことを決定しました。一七六四年のブクサールの戦いは、こうして幕を明けましたが、三者同盟に対し、東インド会社の勢いが勝り、同盟側は大敗北を喫します。

ブクサールの戦いの翌一七六五年、ムガル朝はアラーハーバード条約を結び、カルカッタ（コルカタ）を含む三つの州、ベンガル、ビハール、オリッサの徴税権（ディーワーニー）を東インド会社に付与しました。ディーワーニーとは帝国の州財務長官（ディーワーン）の持つ租税の徴収・支出を行使する職務権限、つまり収租権を意味します。事実上この三州は、あくまで財務長官という立場をとっていましたが、東インド会社の領土になったのです。

さらに、東インド会社は南インドのマイソール王国に刃を向けました。一四世紀末にヴィジヤヤナガル王国から独立したこの国は、当時、ムスリムの雄ハイダル・アリー（在位一七六一—八二）が、治めていました。事実上の支配者です。彼は王国を南インド一帯にまたがる大国にしようとしていました。そのため、インドの植民地化を画策していたグレートブリテンとぶつかります。マイソール王国と東インド会社の戦争は一七六七年か

ティプー・スルターン

ら一七九九年まで四次にわたって続きました。

第一次マイソール戦争（一七六七—六九）は、ハイダル・アリーが勝利を収めます。ところが第二次マイソール戦争（一七八〇—八四）でハイダル・アリーは死亡します。息子のティプー・スルターン（在位一七八二—九九）が後を継ぎました。彼は「マイソールの虎」と呼ばれています。フランスと共同してグレートブリテンに当たるという作戦は上手くいき、第二次マイソール戦争は引き分けに終わりました。また、ティプー・スルターンは、近代ロケット兵器の父と呼ばれています。一七八六年、マイソール王国は最盛期を迎えました。彼は、人格高潔で部下の規律も高く、何より広い世界に目を向けていました。ペルシャ、オマーン、トルコ、ミャンマー、中国などと貿易を行い、何度も使節団を送りました。

一七八九年、第三次マイソール戦争（一七八九—九二）が起こります。今度は、東インド会

社がマラーター王国とニザーム王国との三者連合軍を組んで事に当りました。戦争の結果は厳しいものでした。シュリーランガパトナ条約で合意された条件は、マイソール王国の半分以上の土地を差し出す、というものでした。一七九九年、第四次マイソール戦争が起こります。今度は、ティプー・スルターンの戦死で終わりました。マイソール王国は領土がさらに半減し、王国は藩王国に格下げになりました。

東インド会社は東を取り、南を取って、今度は中央のデカン高原をめぐってマラーター同盟と戦端を開きます。ムガル帝国との二六年間続いたデカン戦争で、マラーター王国は一時衰退したものの、ムガル帝国のアウラングゼーブが死ぬと、一七〇八年にシャーフーがマラーター王に即位しました。バージー・ラーオ（帝国宰相一七二〇—四〇）が宰相（ペーシュワー）の地位に就くと、北インドの広大な領土に対し、長期的な遠征を開始しました。バージー・ラーオの軍は彼自身によって率いられており、士気はとても高く、各地でムガル帝国軍を打ち破ります。彼はシヴァージーの再来でした。彼は随行したマラーター諸侯（サルダール）に征服地を分有させます。次のバーラージー・バージー・ラーオ（宰相一七四〇—六一）

バージー・ラーオ

の時代にマラーター同盟の支配地は最大となりました。北からインドを狙うアフガン勢力との激突は避けられなくなりました。

一七六一年、両者は激突し（第三次パーニーパットの戦い）、マラーター同盟は敗北しました。東インド会社にまたとない好機が訪れたのです。マーダウ・ラーオ（宰相一七六一―七二）が最後の輝きを見せて（一七七二年デリー占拠）病死すると、後継者争いに絡んで第一次マラーター戦争が始まりました（一七七五―八二）。途中、第二次マイソール戦争が始まると東インド会社は休戦にもち込みました。それでも、マラーター諸侯間の内紛は続きました。最後のペーシュワー、バージー・ラーオ二世（宰相一七九六―一八一八）が就任すると、内紛劇は最高潮に達しました。彼は廃位されたペーシュワーの子供だったのです。

第二次マラーター戦争が始まりました。一八〇三年のことです。後に首相をつとめるアーサー・ウェルズリー（初代ウェリントン公爵）が活躍しました。戦争が終わったのは一八〇五年でした。結果は東インド会社の勝利、あるいは引き分けです。第三次マラーター戦争は一八一七年に始まりました。次々と凋落（ちょうらく）していくマラーター諸侯に引きずられ、一八一八年に戦争は終わります。マラーター諸侯及マラーター王国は藩王国として存続を許されました。残るインドの強敵はシク王国だけとなります。

東インド会社の侵略戦争がいずれも数次にわたるのは、決して無理押しをしないからです。

マイソール王国は三〇数年、マラーター同盟は四〇数年、制圧までかかっています。戦っては休み、相手の分裂などに乗じてまた戦端を開く、この繰り返しです。対マイソール王国戦、対マラーター同盟戦、どちらも激戦でした。東インド会社の辛勝です。

考えてみるとマイソール王国はムスリム、マラーター同盟はヒンドゥーでした。もしも両国が宗教の壁を越えて、侵略者である東インド会社に立ち向かえば、勝利の機会があったかもしれません。それが叶わなかったのは、イスラム原理主義者のアウラングゼーブが、両者の間に消しがたい宗教の溝をつくってしまったからでした。強力な相手を各個撃破の形で征服できた東インド会社は幸運でした。

一七五二年、ミャンマーで、コンバウン朝(アラウンパヤー朝)が成立しました。タウングー朝(一四世紀頃―一七五二)が衰退すると、アラウンパヤー(在位一七五二―六〇)が代わって王位に就きました。

阮恵(光中帝。ベトナム共和国200ドン紙幣より)

タイでは、一七六七年にアユタヤ朝(一三五一―)が滅び、タークシン(在位一七六七―八二)がトンブリー朝を建てましたが、乱心したタークシンがラーマ一世(在位一七八二―一八〇九)に殺され、一七八二年、今日まで続く中国系のチャクリー朝が始まりました。ラーマ一世は、トンブリーからチャオプ

ポーランド分割を描いた風刺画。左からエカチェリーナ２世、スタニスワフ２世、ヨーゼフ２世、フリードリヒ２世

ラヤー川を挟んで対岸である東岸に新首都クルンテープ（バンコク）を建設しました。

一七七一年、ベトナムでは西山党の乱が起こりました。乱を起こした阮三兄弟（阮岳、阮侶、阮恵）は、阮恵が一七八八年末から一七八九年初めにかけてドンダーの戦いで勝利を収めましたが、皇帝（光中帝。在位一七八八―九二）になって清の属国化を受け入れたため、兄弟の仲はすっかり悪くなりました。なおドンダーの戦いで、後黎朝（一四二八―一七八九）は滅びました（十全武功）。

†ポーランドの悲哀

一七六三年、プロイセンで、一般地方学校令が出されました。これが義務教育のはじまりだと言われています。

一七六四年、エカチェリーナ二世がヘーチマン制を廃止しました（ザポロージャのコサック軍が、ヘーチマン国家の正式名称）。これは、もともとポーランド・リトアニアにおける最大のコサック反乱であるボフダン・フメリニツキーの蜂起（一六四八―五七）によって誕生しました。ロシアと共に歩んできたヘーチマン制は、イヴァン・マゼーパによる大北方戦争の寝返り（バルト帝国を指向）によって、それまでの独立制を剝奪されました。ヘーチマン廃止は既定路線でした。

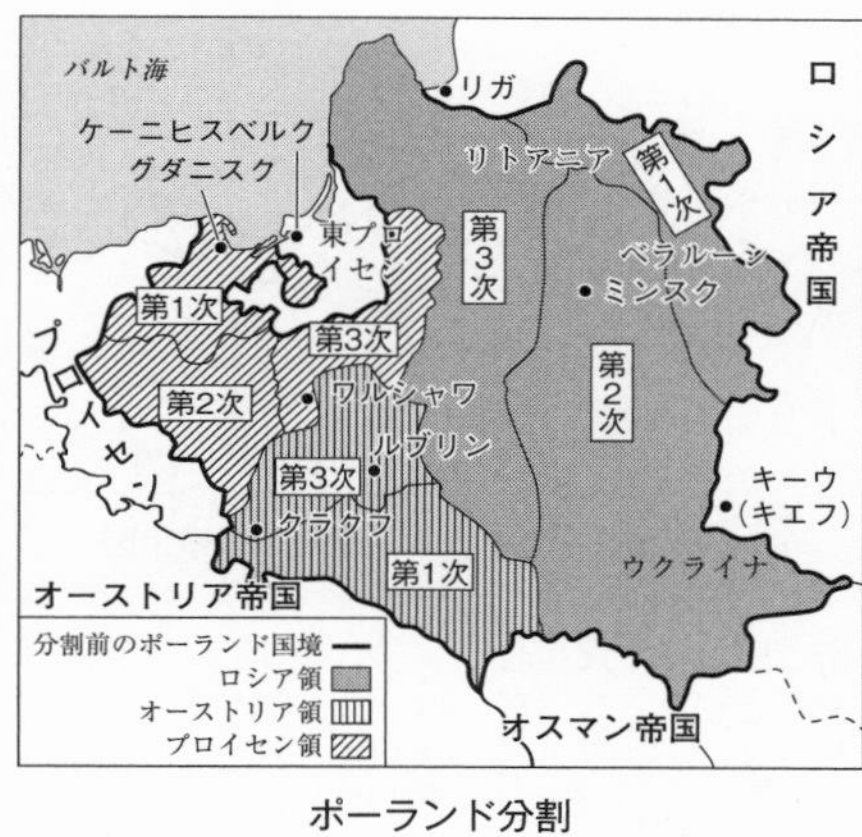

ポーランド分割

一七六五年、清緬戦争（―一七六九）が起こりました。四回の侵攻をミャンマーのコンバウン朝は、すべて斥けましたが、乾隆帝は朝貢国になったと見なし、勝利宣言を行いました（十全武功）。

一七六八年、ゴルカ王国（ゴルカ朝）のプリトビ・ナラヤン・シャハ（在位一七六八―七五）がカトマンズを征服しネパールを統一しました。同じ年、スコットランドのエディンバラで「ブリタニカ百科事典」の初版本が出版されました。

一七七二年、第一次ポーランド分割が行われまし

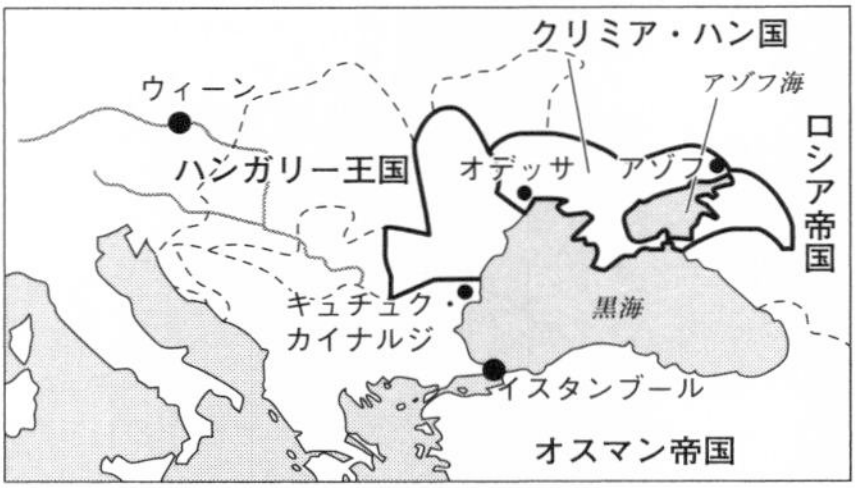

た。エカチェリーナ二世が登極した翌年（一七六三）、ポーランド王、アウグスト三世が死去しました。なお、庶子で異母弟のモーリス・ド・サックスはフランス王国の軍人でフランス大元帥（史上六人）まで昇り詰めました。アウグスト三世は、一七四八年に庶出の娘をもうけ、その孫がジョルジュ・サンドです。

　エカチェリーナ二世は、スタニスワフ二世アウグスト（在位一七六四—九五。元愛人）を王位に推しました。ポーランドは一七六八年、ロシアの保護国になりますが、一七七二年の第一次ポーランド分割で、ロシア帝国、プロイセン王国、ハプスブルク帝国によりその領土（三〇％）を蚕食されました。ハプスブルクの女帝マリア・テレジアは反対したものの、マリア・テレジアと長男ヨーゼフ二世の二人に仕えた宰相カウニッツは、ヨーゼフ二世とともに賛成しています。

キュチュク・カイナルジ条約後の領土図

†ガージャール朝の誕生

　一七七三年、規正法によりベンガル総督が昇格しました。これまではボンベイ、マドラスと同等（知事）でしたが、それにより他の二つの監督権を与えられることになりました。またべンガル総督は、ムガル皇帝に臣下の礼を取ることを拒否しています。

同じ年、ロシアでプガチョフの乱（一七七三―七五年の農民戦争）が起こりました。エカチェリーナ二世は啓蒙専制君主として知られていましたが、乱の後、反動的な立場を取るようになります。

一七七四年、キュチュク・カイナルジ条約により、ロシアは黒海北岸を獲得しました。エカチェリーナ二世は秘密結婚をしたグリゴリー・ポチョムキン（一七三九―九一）を派遣し、第一次露土戦争（一七六八―七四）を勝利に導きました。クリミア・ハン国（一四四一―一七八三）は、オスマン帝国の保護国から切り離され、滅亡するに至りました。

一七七八年、ミラノのスカラ座が完成しました。

一七七九年、ペルシャでアーガー・モハンマド・シャー（在位―一七九七）がガージャール朝（―一九二五）を開きました。一時ペルシャのほぼ全域を支配したザンド朝（一七五〇―九四）は、創始者のカリーム・ハーン（在位一七五〇―七九）が善政を敷き「大王」と称されましたが、最後はバムの町でルトフ・アリー・ハーンが、このアーガー・モハンマド・シャーにより処刑されてザンド朝は滅びます。少年時代に部族の争いで

カリーム・ハーン

去勢されて頂上まで上り詰めたのはアーガー・モハンマド・シャーが初めてです。実子がなかったため弟の息子が後を継ぎました。

一七八一年、神聖ローマ帝国皇帝ヨーゼフ二世（在位一七六五―九〇）の農奴解放令と宗教寛容令が出されました。ヨーゼフ二世は啓蒙専制君主の代表で「人民皇帝」と呼ばれました。その思想はヨーゼフ主義と言われています。二つの法令は前者は君主による農民の直接支配を図ったものであり、また後者は、ルター派、カルヴァン派、東方教会の住民に公民権上の平等を認めたものです。ヨーゼフ二世は、フリードリヒ二世を尊敬し、その啓蒙主義に傾倒しており、母マリア・テレジアを悲しませました。

カント

同じ年に、イマヌエル・カント（一七二四―一八〇四）は、「純粋理性批判」を刊行しました。プロイセンのケーニヒスベルク大学の教授であった彼は「純粋理性批判」、「実践理性批判」、「判断力批判」の三批判書を発表し、認識論における、いわゆる「コペルニクス的転回」をもたらしたとされています。

また同じ年には、中国最大の叢書「四庫全書」が完成します。編纂の勅令を出した乾隆帝は偉大な祖父、康熙帝を常に意識していました。巡幸の回数も一五回で丁度祖父と同じです。

『四庫全書』はおそらく祖父の『康熙字典』に範をとったものでしょう。

一七八四年、首相ウィリアム・ピット(小ピット。在任期間一七八三―一八〇一、一八〇四―一八〇六)はインド法を制定し、インド庁を設置しました。

一七八五年、タイムス(ロンドン)が創刊されました。ジョン・ウォルター(一七三八―一八一二)が「ザ・デイリー・ユニバーサル・レジスター」を世界最古の日刊新聞として創刊、一七八八年より「ザ・タイムズ」と改名し現在に至っています。

一七八六年、トスカーナ大公レオポルド一世が、ヨーロッパで最初の死刑完全廃止を行いました。同じ人物が、神聖ローマ皇帝レオポルト二世(在位一七九〇―九二)です。同じ年、台湾で林爽文(りんそうぶん)が反乱を起こしますが、清軍により鎮圧されました(十全武功)。

一七八八年、清・ネパール戦争が始まりました。第一次が一七八八年に始まり一七八九年に終了、第二次が一七九一年に始まり一七九二年に終了、どちらも清の勝利でした。敗れたネパール(ゴルカ朝)は、清の朝貢国になりました(十全武功)。

一七八九年、グレートブリテンのバウンティ号の反乱が起きました。反乱は成功し艦長以下一九人は救命艇に乗せられて追放されました。反乱者を乗せたバウンティ号は紆余曲折を経て海図に載っていない島にたどり着きました。

†ポーランドが姿を消す

清の人口は一七六三年に二億人を突破したのですが、それから二七年後の一七九〇年には、早くも三億人を超えました。中国の人口爆発が始まったのです。その最大の原因は、一六世紀後半から中国にもたらされた新大陸原産の作物にありました。トウモロコシ、ジャガイモ、サツマイモ、トウガラシ、カボチャ、トマト、落花生、インゲン豆などです。これらの作物は、ジャガイモがいまでもドイツの主食であるように、収穫量が桁違いでした。

そしてこれらの新大陸の作物が、中国に第二次農業革命をもたらしました。第一次農業革命は宋の時代です。気候の温暖化によって、ベトナムのチャンパ米が長江沿岸で栽培されるようになり、収穫の早いチャンパ米によって二毛作が可能になったのです。

人口が激増した中国から、東南アジアへ非合法に移住する人も少なくありませんでした。タイに中国系の王朝（トンブリー朝、チャクリー朝）が誕生したのも、このような形で流入してきた中国人と無関係ではありませんでした。

その一七九〇年、承徳（熱河）で避暑山荘と外八廟（避暑山荘を取り囲んでいる寺社の総称。チベット様式がほとんどを占めます）が完成しました（世界遺産）。一七〇三年には、康熙帝が熱河（承徳）避暑山荘で夏の政務を執りました。以後清の副都のような存在になります。

同じ年、乾隆帝八〇歳の祝賀で安徽省から四つの徽劇班「四大徽班」が相次いで北京に来訪しました。京劇の起源です。

一七九一年、ポーランドで「五月三日憲法」が成立しました。合衆国憲法の次に古いものです。市民と貴族（シュラフタ。一〇%ほど）は、国会（セイム）で同じ地位を占めました。

一七九二年、スウェーデン国王グスタフ三世は仮面舞踏会で暗殺されました。グスタフ三世の時代は、中興の時代であり「ロココの時代」とも呼ばれています。

オスマン帝国のセリム三世（在位一七八九―一八〇七）が衰退していた王朝の勢力を盛り返すために国家体制の刷新事業に着手しました。一七九三年、西洋式新軍隊の「ニザーム・ジェディード（新秩序）」導入を開始したことは有名です。

コシチュシュコ

同じ年、第二次ポーランド分割が、ロシア、プロイセン両国の間で行われました。前年、愛国者タデウシュ・コシチュシュコ（一七四六―一八一七）らは、新憲法をめぐるロシア帝国の干渉と戦いましたが敗れ、ライプツィヒ、パリで亡命生活を送りました。一七六五年にスタニスワフ二世アウグストが設立した騎士学校の卒業生です。コシチュシュコはその後アメリカに渡り一七七六年から一七八三年までワシントンの副官として闘い陸軍准将に昇進

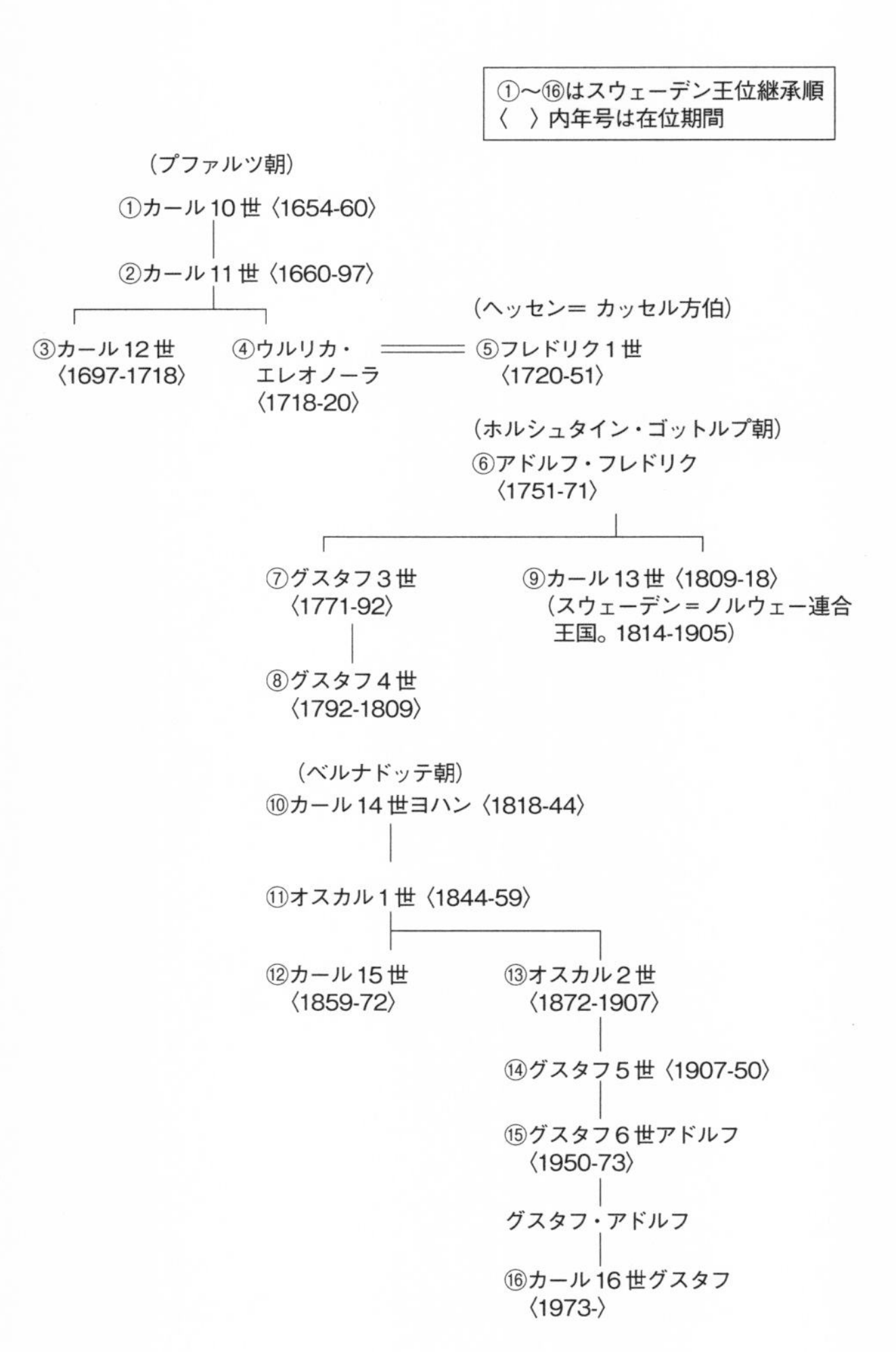
①〜⑯はスウェーデン王位継承順
〈　〉内年号は在位期間
(プファルツ朝)
①カール10世〈1654-60〉
②カール11世〈1660-97〉
(ヘッセン＝カッセル方伯)
③カール12世〈1697-1718〉
④ウルリカ・エレオノーラ〈1718-20〉
⑤フレドリク1世〈1720-51〉
(ホルシュタイン・ゴットルプ朝)
⑥アドルフ・フレドリク〈1751-71〉
⑦グスタフ3世〈1771-92〉
⑨カール13世〈1809-18〉
(スウェーデン＝ノルウェー連合王国。1814-1905)
⑧グスタフ4世〈1792-1809〉
(ベルナドッテ朝)
⑩カール14世ヨハン〈1818-44〉
⑪オスカル1世〈1844-59〉
⑫カール15世〈1859-72〉
⑬オスカル2世〈1872-1907〉
⑭グスタフ5世〈1907-50〉
⑮グスタフ6世アドルフ〈1950-73〉
グスタフ・アドルフ
⑯カール16世グスタフ〈1973-〉

スウェーデン王家系図

しています。

一七九三年に行われた講和会議では、ポーランドは二五万平方キロの領土をロシアに譲渡し（プロイセンは五・八万平方キロ）、以前の領土の三分の一の規模にまで縮少しました。

同じ年、ベンガル総督はザミーンダール（土地所有者）たちと永久協定を結び、彼らに土地所有権を認めた上で毎年定期の賃料を納めさせたのです。これにより、新しい形のザミーンダーリー制度が成立しました。

同じ年、グレートブリテンの全権大使ジョージ・マカートニー（一七三七―一八〇六）が、初めて承徳で乾隆帝に会うことを許され、次のようなメッセージを伝えました。

「私たちの国は貴国ほどではありませんが、大きな国です。どうか外交関係を樹立し、もっと港を開いてください」。それに対して、乾隆帝は答えました。

「我ら天朝の徳を慕って世界の国々は朝貢するのである。また我らに貴国から輸入したいものはない。大使館の設置など、天朝の礼にそぐわぬものはない」。早い話が、広州で公行貿易を認めているのだから、我慢せい、というわけで、けんもほろろに突き放されてしまいました。清の威光はまだ輝いていました。しかし、アヘン戦争まで五〇年を切っていましたから、中華帝国最後の輝きであったといえると思います。

一七九四年、コシチュシュコの蜂起が起こりました。善戦空しくコシチュシュコは最後はロシアの捕虜になりました。

一七九五年、ロシア帝国、プロイセン王国、ハプスブルク帝国（オーストリア）の三国による分割でポーランド王国は姿を消しました。マグナート（四〇ぐらいの大貴族）から成るタルゴヴィツァ連盟（一七九二）は一貫してロシアへの併合を主張しました。

同じ年、カメハメハ一世（在位一七九五―一八一九）によりハワイ諸島が統一されハワイ王国が成立しました。カウアイ島、ニイハウ島の二島も一八一〇年までに統一されました。

†乾隆帝の時代の終幕

一七九六年、清の乾隆帝が譲位し、嘉慶帝（かけいてい）（在位―一八二〇）が第七代皇帝に即位しました。乾隆帝は、しかし、実権は手離しません。この年、政府は最初のアヘン輸入禁止令を出しました。また湖北省や四川省などで白蓮教徒の乱（―一八〇四）が起こり、「三世の春」は終わりを告げました。宋の時代から命脈を保ち続けるこの宗教結社は、時代が乱れてくると決起するのです。康熙帝、雍正帝、乾隆帝の三代を盛世と呼ぶ学説もあるのですが、乾隆帝まで加えると疑問も感じます。彼の時代は内政的には爛熟（らんじゅく）と退廃が進んでいきました。

同じ年、ロシア女帝エカチェリーナ二世が死去、息子のパーヴェル一世（在位一七九六―一八〇一）が即位しました。パーヴェル一世は一七九七年に帝位継承法を定めて男系男子による、としました。偉大な母親に見せたかったことでしょう。

一七九八年、トマス・ロバート・マルサス（一七六六―一八三四）が匿名で「人口論」を刊行しました。マルサスはダーウィンに大きな影響をあたえています。同じ年、エドワード・ジェンナー（一七四九―一八二三）が種痘法を発表しました。「免疫学の父」とも呼ばれています。またジェンナーは鳥の習性にも造詣が深く、カッコウの托卵など研究を残しています。

一七九九年、乾隆帝が死去しました。彼の寵臣であったヘシェン（和珅。一七五〇―九九）は嘉慶帝によって弾劾され賜死となりました。ヘシェンが不正によって貯めこんだ個人資産は、国庫歳入の一〇年～一五年分に相当したそうです。その収賄のスケールが桁違いの大きさであることに驚かされます。

一八〇〇年、アレッサンドロ・ボルタが、「ボルタの電池」を発明。ボルタの「電堆」はそれ以前の一七九四年に発明され、それを改良した「電池」が一八〇〇年に発明されました。

(3) アメリカの独立とフランス革命

†揺れるアメリカ

フリードリヒ二世は七年戦争以降、大きな戦争を起こすことはありませんでした。合理的な国家経営でプロイセンの強大化に努め、啓蒙専制君主の典型とされます。また、フルート演奏をはじめとする芸術的才能の持ち主でもあり、ロココ的な君主らしい万能ぶりを発揮しました。ヴォルテールと親しく交際したことでも有名で、フリードリヒ大王全集がありますなお原典はフランス語で書かれています。

七年戦争（フレンチ・インディアン戦争）で、グレートブリテンはフランスと北米の領土を巡って激しく戦いました。そして勝利を収めました。グレートブリテン軍は、本国の軍団と北米一三州の植民地政府軍によって構成されていました。

一三州とは、北のニューハンプシャー州から南のジョージア州まで、ピルグリム・ファーザーズ以来、アメリカに入植した人々の居住地です。

さて、七年戦争で生じた多額の軍事費を回収するために、本国政府は植民地に対して、さまざまな課税を行いました。

アメリカ独立戦争と13州

砂糖法（一七六四）はともかく、印紙法（一七六五）に対しては植民地政府より火の手が燃え上がり、「代表なくして課税なし」といきり立ちました。そして税の原理に抵触するとしてわずか三カ月で廃止に追いこみました。これは、植民地の独立の意識を高めた点で重要な意義をもっています。

それにもかかわらず本国政府は、タウンゼンド諸法（一七六七）を成立させます。おおむね五つの法令（歳入法、補償法など）の中から言及されます。歳入法は、アメリカに輸入される紙、ガラス、茶などの日用品に対する課税です。税率自体はそれほど高くはなかったのですが、本国議会での発言権がなかったことが問題でした。

本国議会にしてみれば、北米での戦いで生じた赤字は現地に払わせろ、インド同様、植民地のことは植民地でケリをつけろ、ということですが、北米一三州にしてみれば、そうはいかないのです。そもそも七年戦争は本国の始めたことだ、ロンドンが始めたことを手伝っただけだ、その戦費を負担する義務はない。植民地はこのように主張して、本国と植民地の関係は険悪になっていきます。

ゲーテ

そして一七七三年、有名なボストン茶会事件が起こります。これは本国議会の植民地政策（茶法）に怒ったボストン市民（自由の息子達（サンズ・オブ・リバティ））が、入航した本国商船の紅茶箱を海に投げ込んでしまった事件です。

ジョージ三世（在位一七六〇―一八二〇）の政府は、強硬な態度に出ます。因みにジョージ三世は、祖父や父とは異なり生涯一度も本国のドイツには足を踏み入れませんでした。

一七七四年に「耐え難き諸法」を制定させた本国政府は、一三州植民地の怒りと抵抗を刺激し、アメリカ合衆国の独立に発展する重要な契機になります。

一七七四年、第一回大陸会議が開催されました。

同じ年、ドイツでは、ヨハン・ヴォルフガング・フォン・ゲーテ（一七四九―一八三二）が青春の愛と苦悩を描いた「若きウェルテルの悩み」を発表しました。「シュトゥルム・ウント・ドラング（嵐と衝動）」の代表作と呼ばれています。元はフリードリヒ・マクシミリアン・フォン・クリンガー（一七五二―一八三五）の前述の文学運動の名称のもととなった同名の作品によるものです。フリードリヒ・フォン・シラー（一七五九―一八〇五）の「群盗」も有名です。なお、ゲーテは、死ぬまで「ファウスト」を書き続けました。

†アメリカの独立

一七七五年に北米に駐留していた本国軍がレキシントンとコンコード（マサチューセッツ）の戦いでアメリカ軍と戦火を交えます。ついにアメリカ独立戦争が始まったのです。ジョージ・ワシントン（一七三二―九九）が総司令官に任命されました。第二回大陸会議は一七七五年から一七八一年まで続きました。交戦中の一七七六年、トマス・ペイン（一七三七―一八〇九）は「コモン・センス」を世に問い、同じ年大陸会議はアメリカ独立宣言を採択します。とくに「すべての人間は平等に造

1776年刊行の「コモン・センス」

られている」ことを高唱し、不可譲の自然権として「生命、自由、幸福の追求」の権利を掲げた前文はアメリカ独立革命の理論的根拠を要約した部分として知られています。ジョン・ロックの自然法理論の流れをくむものであることもよく指摘されるところです。ここに至ってアメリカ合衆国が誕生したのです。

同じ年、アダム・スミス（一七二三―九〇）による「国富論」が出版されました。「道徳感情論」と二冊読めば彼の思想がよく理解できます。市場経済の原理を説いた本で、「経済学の父」と呼ばれています。また、エドワード・ギボン（一七三七―九四）による「ローマ帝国衰亡史」第一巻が出版されました。アダム・スミスが愛読者です。

一七七七年には、星条旗を国旗として定めました。そして同じ年のサラトガ（ニューヨーク）の戦いで大勝します。

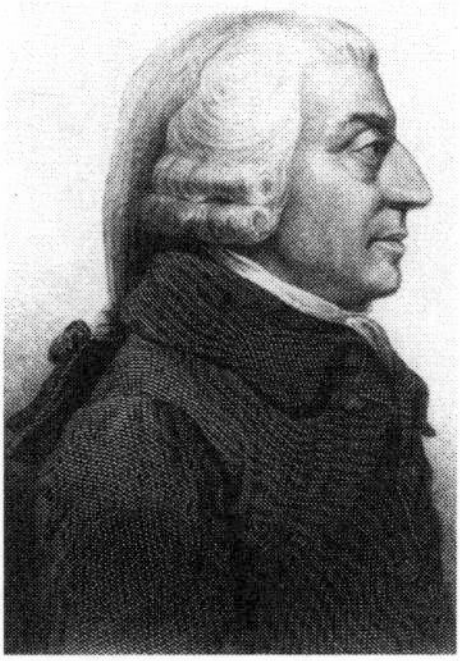
アダム・スミス

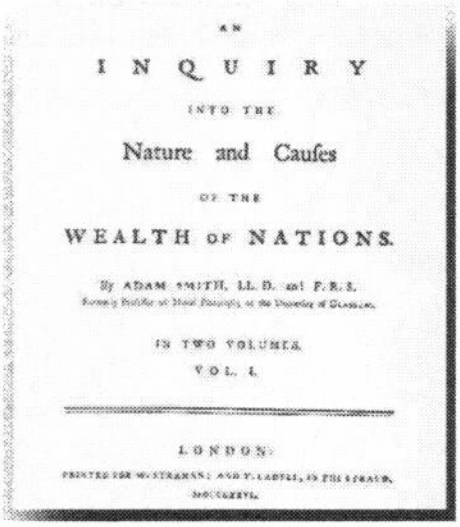
AN
INQUIRY
INTO THE
Nature and Causes
OF THE
WEALTH OF NATIONS.
By ADAM SMITH, LL.D. and F.R.S.
Formerly Professor of Moral Philosophy in the University of Glasgow.
IN TWO VOLUMES.
VOL. I.
LONDON:
PRINTED FOR W. STRAHAN; AND T. CADELL, IN THE STRAND.
MDCCLXXVI.

「国富論」初版本のタイトルページ

アメリカ独立宣言の署名

フランスは一七七八年にアメリカと同盟を結び（仏米同盟条約。ヨーロッパで初めて）、以前から働いていたラファイエット侯爵（一七五七―一八三四）を始めとする多数の義勇兵を送り出しました。ラファイエット侯爵は少将の地位を得ています。

一七八〇年、グレートブリテンがアメリカの海上封鎖を宣言すると、エカチェリーナ二世が武装中立同盟を提唱し（ロシア、スウェーデン、デンマーク、プロイセン、ポルトガルの五カ国が参加）、グレートブリテンは国際的に孤立しました。

同じ年、第四次英蘭戦争（一九八〇―一九八四）が起きました。この戦いでグレートブリテンは、一矢を報いました。なお、ヨーロッパでアメリカ合衆国を認めたのはネーデルラントが二国目です。

そして、一七八一年にロシャンボー伯爵（フランス）とワシントンがヨークタウン（バージニア）の

憲法制定会議開催の布告をするジョージ・ワシントン

戦いに臨み、本国軍を打ち破りました。ここで独立戦争の大勢は決します。

一七八三年にパリ講和条約が結ばれ、アメリカの独立が正式に認められました。八年間続いた独立戦争が終わり、次いで一七八七年に合衆国憲法が定められ、一七八九年にワシントン（在任一七八九―一七九七）が初代大統領に就任しました。

ところで、独立戦争を支えた思想的バックボーンは、名誉革命を正当化したジョン・ロックの自然法理論やフランスで開花した啓蒙思想でした。例えば独立宣言を起草したトーマス・ジェファーソンは啓蒙的合理主義に傾倒していました（後に第三代大統領になります。在任一八〇一―一八〇九）。また、初代大統領ワシントンとフランス貴族でアメリカ義勇兵となった立憲派のラファイエット侯爵は、親交を結んでいました。

啓蒙思想とは、平たく述べれば、「人間の存在も自然的な存在と同じく、普遍的な法則に支配されている。人間の理性それ自体によって、世界の秩序を理解できる」という思想です。そして神の存在は創造主としてのみ認め、人間の理性による神の解釈を許します。

ヴォルテール、モンテスキュー、ディドロ、ダランベール、ルソーなどが、新大陸の指導者たちの新しい国づくりの理論的支柱となりました。これらの啓蒙思想家は、ほとんどがフランスです。彼らの思想は、ブルボン朝の絶対王政批判の武器となります。そして思想的に多大な影響をアメリカに与えたフランスが、今度は義勇兵を介して新大陸の独立戦争と共和国成立に影響を受けていくのです。

†フランス革命前夜

フランスは、ルイ一四世の時代からずっと第二次英仏百年戦争を戦ってきました。直接の動機は名誉革命（一六八八）です。プロテスタント（ウィリアムとメアリー）対ローマ教会（ルイ一四世）の争いでした。それもあって、ルイ一六世（在位一七七四―九二）治世下では、財政赤字が税収の九倍を超えます。当時のフランスの構成は第一身分（聖職者一四万人）、第二身分（貴族四〇万人）、第三身分（平民二六〇〇万人）となっていました。そして富の半分以上は、第一身分と第二身分の特権階級が有しており、しかも税金が免除されています。財政改革を断行するには、特権階級に課税するしかありません。

一七七六年、財務総監ジャック・テュルゴーが特権身分の反対（レントシーキング）を受けて辞職しました。後任はジャック・ネッケル（外国人故に財務長官。在任一七七六—八一、八八—八九、八九—九〇）が就任しました。しかし、特権身分の厚い壁はなかなか破れません。財務総監シャルル・アレクサンドル・ド・カロンヌや宰相エティエンヌ＝シャルル・ド・ロメニー・ド・ブリエンヌも同様に失敗します。再びネッケルに登板の機会が訪れました。そこで世論を味方につけて財政改革を行おうと考え、三部会の開催を就任の条件としました。一向に改革が進行しない状況にルイ一六世も焦り、三部会の開催を許可しました。

一七八九年、事態を打開するために、全国三部会が招集されました。しかし特権階級の抵抗は強く、業を煮やした第三身分は、「第三身分とは何か」の著者であるエマニュエル＝ジョゼフ・シエイエス（一七四八—一八三六）の呼びかけで、自分たちだけで国民議会を発足させました。するとラファイエットを始め、アメリカ独立宣言や啓蒙思想に影響を受けている一部の聖職者や貴族たちは、国民議会に合流しました。そして第一身分がついに合流します。国民議会は、憲法の制定と国民議会の承認を求め、それをルイ一六世が認めるまでは解散しないと決議しました。ルイ一六世により議場を閉め出された国民議会は、議場を移します。その場所がヴェルサイユ宮殿の球戯場（ジュ・ド・ポーム）であったので、「球戯場（テニスコート）の誓

球戯場の誓い（ダヴィッド画）

い」と言われています。

†フランス革命

そして、国王の認めた中で憲法制定国民議会と名称を改称し、憲法制定作業に取り掛りました。ところがルイ一六世は情勢が読めず、王妃マリー・アントワネットや王弟アルトワ伯（後のシャルル一〇世）らの独断で、市民に人気のあったネッケルを罷免します。これに激怒したパリ市民は、バスティーユ監獄を襲撃して七人の囚人を解放しました。政治犯はいませんでした。

時に一七八九年七月一四日、自由・平等・友愛（一七九三年までは財産）をスローガンとするフランス革命が始まったのです。自衛と秩序保持を目的として、臨時に招集された市政委員会のもと、民兵隊が組織されました。必要な弾薬はバスティーユにあります。いわば自然な流れが革命という巨きな弾を破裂させたのです。七月一六日、ネッケルは復職しますが、民衆の意識は彼の手元を離れてしまいました。

八月四日、憲法制定国民議会は、封建制を完全に廃止すると宣言し、第二身分（貴族）の特権と第一身分（聖職者）が徴収する十分の一税を廃止しました。旧体制（アンシャン・レジーム）は崩壊しました。

「人間と市民の権利の宣言（1789年）」（ジャン＝ジャック・フランソワ・ル・バルビエ画）

次いで八月二六日、憲法制定国民議会は人権宣言（人間と市民の権利の宣言）を採択します。これは、人間の自由と平等、人民主権、言論の自由、三権分立、所有権の神聖など一七条からなるフランス革命の基本原則を記したものです。

一〇月五日には、物価高騰と食糧不足に怒ったパリの女性たちが、ヴェルサイユ宮殿まで行進し国王一家をパリに連行しました。国王一家はテュイルリー宮殿に住むことになります。

同じ年にラファイエットは、三色旗を発案しました。パリ市民軍の標章「青・赤」に「白」

（ブルボン朝の象徴である白百合に由来）をつけ加えたものです。これがのちにフランスの国旗となります。

一七九〇年、早くもエドマンド・バーク（一七二九―九七）が「フランス革命の省察」を刊行しました。保守主義のバイブルといわれています。

一七九一年、立憲君主派のオノーレ・ミラボー（一七四九―）を亡くした国王は、不安になりました。六月二〇日夜、ルイ一六世は変装してテュイルリー宮殿を後にしました。国王一家はウィーンへの逃亡を図りましたが、ヴァレンヌで発見され（ヴァレンヌ事件）、パリへと戻されました。パリの雰囲気はすっかり冷え込んでいました。

ミラボー

八月二七日にはすでに亡命に成功していたアルトワ伯が、神聖ローマ皇帝レオポルト二世（在位一七九〇―九二）とプロイセン国王フリードリヒ・ヴィルヘルム二世（在位一七八六―九七）を仲介し「ピルニッツ宣言」を行いました。この「必要な武力を用いて直ちに行動を起こす」という内容の宣言は、革命派に脅迫と受け取られてしまいました。

九月三日、一七九一年憲法が成立しました。議場の右翼に立憲君主派、左翼に共和派が位置したことから、一般に、右派と左派という言葉が生まれました。一七九一年憲法は、しかし、立憲君主制で、かつ一定の納税者（能動的市民）の制限選挙でした。一七九一年憲法では「フランス人の王」と称号が変わります（従来は「フランス国王」でした）。

一〇月一日、一七九一年憲法に従って召集された立法国民議会のメンバーが出そろいました（一七九二年九月五日まで）。立法国民議会は、立憲君主派のジロンド派（ジロンド県の出身議員が多くいたため）が多数を占めました。なお、この年にメートル法が定められます。また、この年の終わりにウィーンでヴォルフガング・アマデウス・モーツァルト（一七五六―）が死去しています。まさに「天上の音楽」で、五大オペラ、交響曲第四〇番、第四一番、レクイエムなど珠玉の名曲を残しました。

モーツァルト

一七九二年四月二〇日、反革命を標榜する神聖ローマ帝国（オーストリア）の干渉を契機として、ジロンド内閣は、対外戦争（フランス革命戦争。一七九七年一〇月一八日のカンポ・フォルミオ条約の講和条約まで続く）に踏み切ります。プロイセンもフランスに宣戦布告し、パリに迫るプロイセン軍と戦ったマルセイユの義勇兵が歌ったラ・マルセイエーズが、のちに国歌となります。四月二五日、最初のギロチン（四五度の角度傾斜した斜め刃）による死刑が行われました。シャルル＝アンリ・サンソン（一七三九―一八〇六）は、熱心な死刑廃止論者で有名な医師であり、パリの死刑執行人（ムッシュ・ド・パリ）でした。ルイ一六世やマリー・アントワネット、ダントン、ロベスピエール、サン＝ジュストなど著名人の処刑にほとんど立会いました。なお、ギロチンは、ジョゼフ・ギヨタン医師に因んだものです。

†ロベスピエールの独裁

そして、八月一〇日事件が起こります。パリ市民と義勇兵はテュイルリー宮殿を襲撃して王権を停止させました。国王一家はタンプル塔に閉じ込められます。

マクシミリアン・ロベスピエール（一七五八―九四）は、八月一〇日事件から権勢を強め、ルイ・アントワーヌ・ド・サン＝ジュスト（一七六七―九四）とともに、革命を導いて行きます。世界初の男子普通選挙によって九月二〇日、国民公会が成立しました。行政府の役割も担った革命政治の中央機関です。九月二一日、会期二日目には共和国宣言を行って第一共和政に移行し、王政は廃止されました。

ロベスピエール

第一共和政では、立憲君主派のジロンド派を制して、ロベスピエールの率いる過激なジャコバン派（サントノレ通りのジャコバン修道院を本部とする）が権力を握りました。

そして一一月一三日、二五歳の青年サン＝ジュストが王政そのものが処罰されるべきであると演説しました。

一七九三年、ルイ一六世は死刑と決まりました。国民公会で死刑に賛成したのは三八七名対三三四名（欠席二三名、棄権五名）です。死刑（斬首刑）の執行は一月二一日のことでした。

処刑されるルイ16世

ルイ一六世の処刑は全ヨーロッパを震撼させ、グレートブリテンの首相ウィリアム・（小）ピット（在任一七八三—一八〇一、一八〇四—〇六）を中心としてヨーロッパ列強による第一次対仏大同盟が結ばれて、各国の軍隊がフランスに侵入します。神聖ローマ帝国（オーストリア）、プロイセン王国、グレートブリテン王国、サルデーニャ王国、スペイン王国、ネーデルラント、ポルトガル王国、以上の面々です。
フランスでは、六月二四日、新しく一七九三年憲法を制定しましたが、その施行を無期限に延期しました。一七九三年憲法は、人民主権、男子普通選挙制度、人民の労働または生活を扶助する社会の義務、抵抗権、奴隷制廃止などを認めた民主的な制度に立脚したものでした。ロベスピエールは、状況は切迫しており、強権的かつ専断的に諸事を断行する必要に迫られていました。そこで国民公会内部に諸委員会を設け、中でも公安委員会は「全てのこと」に権限が及ぶとされ、ジョルジュ・ダントン（一七五九—九四）、また七月二七日に公安委員に選出されたロベスピエールが辣腕（らつわん）を振るいました。もちろん、警察権や司法権を持たず、財政にも関与できないなど一定の制約はありましたが、それにもかかわらず、ロベスピエールは恐怖政治を敷きました。

全ヨーロッパから敵対視される共和政の祖国を守るためには、政敵を寛大に扱うわけにはいかないという側面もあったのでしょう。フランス軍は各地で健闘し、外国軍の干渉を許しませんでした。一〇月三日には二一名のジロンド派議員が処刑され、一〇月一六日には王妃マリー・アントワネットも処刑されました。

自分たちでつくりあげた新国家に対する彼らの思いは、とてつもなく強いものでした。旧来の暦を否定して、一一月二四日には有名なフランス革命暦を作成しました。例えば月名は「霧の月（ブリュメール）」や「熱の月（テルミドール）」など季節に合わせた名前に変え、また時刻を合理的に区分して、一日は一〇時間、一時間は一〇〇分、一分は一〇〇秒と定めます。この暦は一八〇五年一二月三一日まで使用されました。

一七九四年、ロベスピエールは、ダントンなどの粛清に踏み込みました。四月に入ってからのことでした。

最高存在の祭典

前年の一七九三年一一月一〇日には、「理性の祭典」が行われましたが、きわめて無神論的性格の強いものでした。翌一七九四年六月八日にテュイルリー宮殿およびシャン・ド・マルス公園で行われた宗教祭典は、「最高存在の祭典」と銘打ち、ロベスピエールが主催しました。演出はジャック＝ルイ・ダヴィッド（一七四八―一八二五）が担当しました。

この「最高存在の祭典」は、神の存在を啓示によらず合理的に説明しようとする立場から、ロベスピエールによって、無神論的な「理性の祭典」に反対して行われた、理神論的な儀式でした。

しかし、ロベスピエールの恐怖政治は、市民の反発を招くようになり、彼は盟友サン＝ジュストなどとともに逮捕され、翌日処刑されました。逮捕の日は、旧暦で一七九四年七月二七日、革命暦のテルミドール九日でした（テルミドールの反動）。

†総裁政府とナポレオンの台頭

「テルミドールの反動」後のフランスは、上層ブルジョワジーの支配が目立ちます。物価が上昇し、市民生活の風紀が乱れました。

一七九五年に憲法が改正されましたが(共和暦三年憲法)、普通選挙が廃止され、一定の税を納めている者のみによる制限選挙になりました。これにより、成人男子七〇〇万人のうち有権者は五〇〇万人となります。行政権は、五人の総裁に委ねられました。なお集会の自由は認められませんでした。一〇月にできた総裁政府は、ポール・バラス(一七五五―一八二九)が実権を握る形となりますが、社交界の華といわれたテレーズ・カパリュスを愛人にし、また私腹を肥やすなど「悪徳の士」と呼ばれました。

テルミドールの反動

なお、四月にプロイセンと、五月にはネーデルラント(占領してバタヴィア共和国を建てる。一七九五―一八〇六)と、七月にはスペインとそれぞれ講和をすま

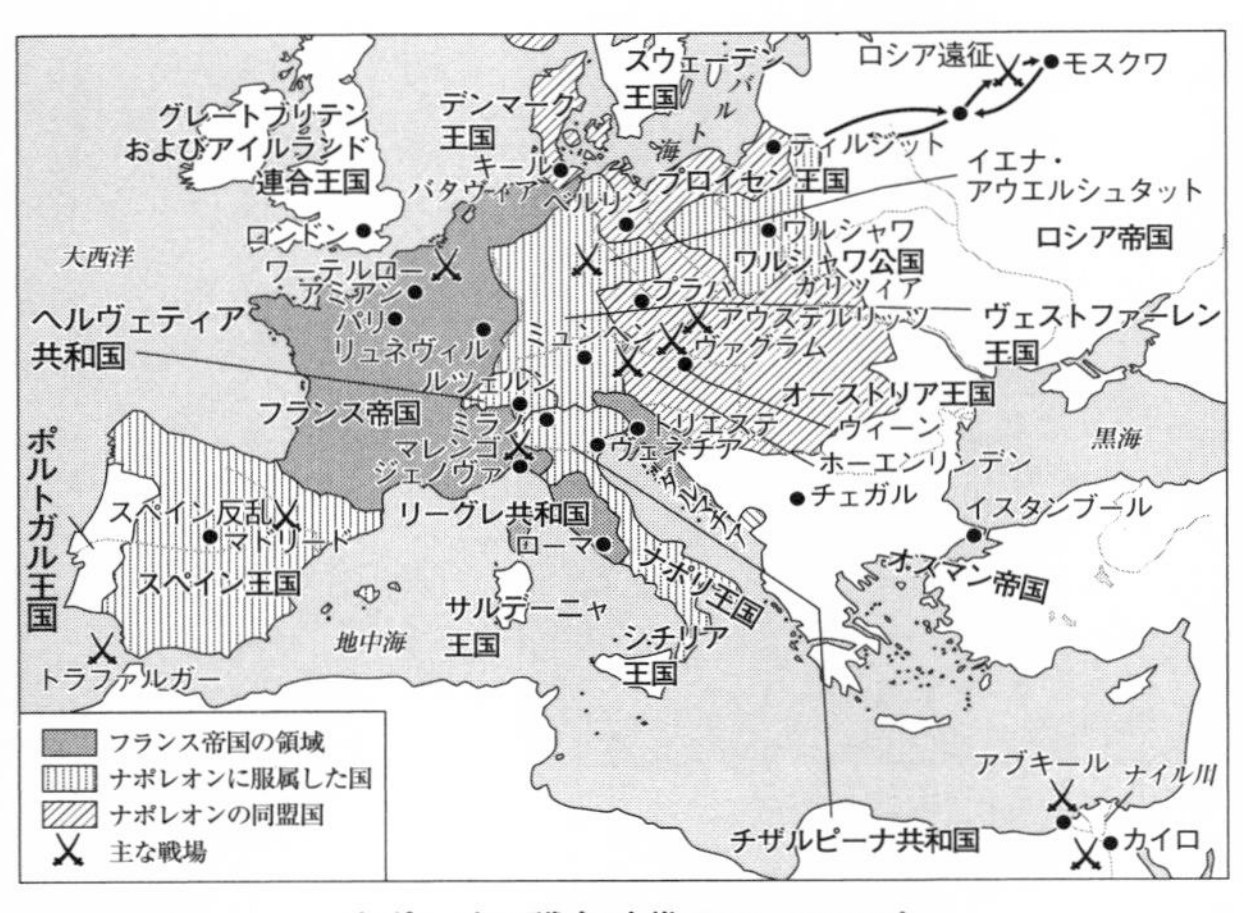

ナポレオン戦争時代のヨーロッパ

せました。

一七九六年、最後まで抵抗を止めない神聖ローマ帝国（オーストリア）をドイツ側とイタリア側より攻めることとし、ナポレオン・ボナパルト（一七六九―一八二一）を抜擢してイタリア方面軍を任せました（第一次イタリア遠征）。

ちょうどナポレオンは結婚したばかりでした。デジレ・クラリー（王妃在位一八一八―四四。後のスウェーデン＝ノルウェー連合王国王妃）との婚約を反故にして、選んだ相手は、一時は〝上司〟ポール・バラスの愛人でもあった恋多き女性、ジョゼフィーヌ・ド・ボアルネ（皇后在位一八〇四―一〇）でした。

ナポレオンは連戦連勝し、一七九七年一〇月、カンポ・フォルミオの和約を結んで和解しました。リーグレ共和国（一七九七―一八〇五。首都ジェノヴァ）とチザルピーナ共和国（一七九七―一八〇二。首都ミラノ）が誕生しました。その一方で、ヴェネツィア共和国（オーストリアに併合）とジェノヴァ共和国（衛星国として建設）は、消滅しました。これによって第一次対仏大同盟は崩壊します。

一七九八年二月、フランスが教皇領を占領しローマ共和国（一七九八―九九）を、三月、スイスを占領しヘルヴェティア共和国（一七九八―一八〇三。首都はルツェルン）を建てました。残る宿敵はグレートブリテンです。

しかし精強な海軍を擁するグレートブリテンに上陸することは困難でした。そこでナポレオンは、軍略家としての才能を活かしてエジプトに目を向けます。ナポレオンはグレートブリテンの強さの理由を理解していました。インドという金のなる木があって、そこから利益を吸い上げているからです。だから、インドとの連携を断ち切ろうと考えたのです。そこでアフガニスタンのドゥッラーニー朝や、東インド会社（英）と争っているマイソール王国と連絡をとりました。インドを南北から牽制しようとしたのです。エジプト、アフガニスタン、南インドを結ぶという壮大な構想です。これに対して小ピットは、イランのガージャール朝に接近して、のちに同盟を結びます。なお、グレートブリテンに対抗するためにインドを狙うという戦略は、二〇世紀にも登場します。ドイツの３B政策（ベルリン、ビザンティウム、バグダード）がその一つです。

ピラミッドの戦い

ナポレオンは、グレートブリテンにとって最も重要な植民地であるインドとの連携を絶つことを企図し、英印交易の中継地点でありオスマン帝国の支配下にあったエジプトを押さえることを総裁政府に進言し（エジプト遠征）、これを認められました。七月、ナポレオン軍はエジプトに上陸し、ピラミッドの戦いで勝利してカイロに入城しました。

「兵士諸君、ピラミッドの頂から、四千年の歴史が諸君を見つめている」と、ナポレオンが言った話は有名です。なお、ナポレオンは大勢の学者をつれていきました。やがてエジプト学が花開きます。ルーヴル美術館初代館長であるヴィヴァン・ドノン（一七四七－一八二五）などが有名です。

八月、ホレーショ・ネルソン（一七五八－一八〇五）がナイルの海戦で、アブキール湾に停泊中のフランス艦隊をほぼ壊滅させる武功を挙げました。ナポレオンはエジプトに孤立してしまいます。フランス本国のナポレオン不在を好機と見た諸国は、一二月、第二次対仏大同盟を結成し、フランスへの攻撃を開始しました。神聖ローマ帝国（オーストリア）、グレートブリテン、ロシア帝国、それにオスマン帝国が参加しました。

一七九九年、祖国の危機の中、単身フランスへ舞い戻ったナポレオンは（七月）、一一月、ブリュメール一八日のクーデターを起こしました。ナポレオンは統領政府を樹立し、自ら第一統領（執政）となり実質的に独裁権を握りました。一八〇〇年五月、ナポレオンは第二次イタリア遠征に出かけます。

ナポレオンのアルプス越え（ダヴィッド画。ヴェルサイユ宮殿美術館蔵）

六月のマレンゴの戦いは、ナポレオン軍の辛勝でした。「正義のスルタン」、ルイ・シャルル・アントワーヌ・ドゼー（一七六八―一八〇〇）が援軍で駆けつけ勝利を収めますが、本人は戦死しました。ジャコモ・プッチーニ（一八五八―一九二四）の「トスカ」（原作ルイージ・イッリカ、ジュゼッペ・ジャコーザ）にこの顚末が描かれています。一二月にはドイツ方面のフランス軍がホーエンリンデンの戦いで大勝しました。

マレンゴの戦い

同じ年、コロンビア特別区（ワシントンDC）が、アメリカ合衆国の首都になりました。またフランス銀行が設立され、通貨と経済の安定を図りました。

第十二章

第五千年紀後半の世界、その4
一九世紀の世界（一八〇一年から一九〇〇年まで）

「真のフランス革命」は一七八九年に始まり一八四八年のヨーロッパ革命で終わりました。約六〇年かかった計算になります。二〇〇万人に及ぶ尊い命が失われました。国王はいなくなりました。体制の変更にはこれだけかかるということです。

明治維新は一八六八年に起こりましたが、戊辰戦争を含めて、長くて一年、死者の数は一・二万人でした。天皇がいて開国富国強兵で一致していたからです。クリミア戦争が起こったことも好運でした。

アメリカは市民戦争（南北戦争）を戦いました。一八六一年から六五年まで四年間、戦死者の数は六二万人余に及びました。ちなみに第二次世界大戦でのアメリカ軍の戦死者数は四〇万人余です。今でも市民戦争以上の戦死はありません。これは「自由貿易」か「保護貿易」かを、かけて争ったからです。

フランスは、第二帝政で少し足踏みしましたが、そのあとずっと共和政を続けています。現在は第五共和政です。

フランスおよびアメリカは革命戦争、市民戦争を経て強くなりました。同時にフランスおよびアメリカでは「想像の共同体」が出来上りました。遠くにいる人は会ったことはありません。それでも同じ国民だということになれば何となく親しみが湧いてきます。言語が同じで、敬愛する人が同じで（例えば天皇など）、歴史が同じで「市民」感覚が同じであれば、「想像の共同体」の出来上がる確率はもっと高くなります。拍車をかけたのは、新聞をはじめとするメディア革命でした。

もう一つ同じような概念があります。「国民国家」です。主権国家において、国民主権が確立し、憲法と議会制度が実現し、一元的な統治国家となった国家をいいます。また国家が成立するためには、主権、領域、国民という三つの要素が必要です。なお、それを主権国家として成立する国家概念やそれを成り立たせるイデオロギーをも指しています。ヨーロッパにおいては一八四八年ヨーロッパ革命ののち、つぎつぎと「国民国家」が成立しました。ドイツ帝国とイタリア王国はその代表です。

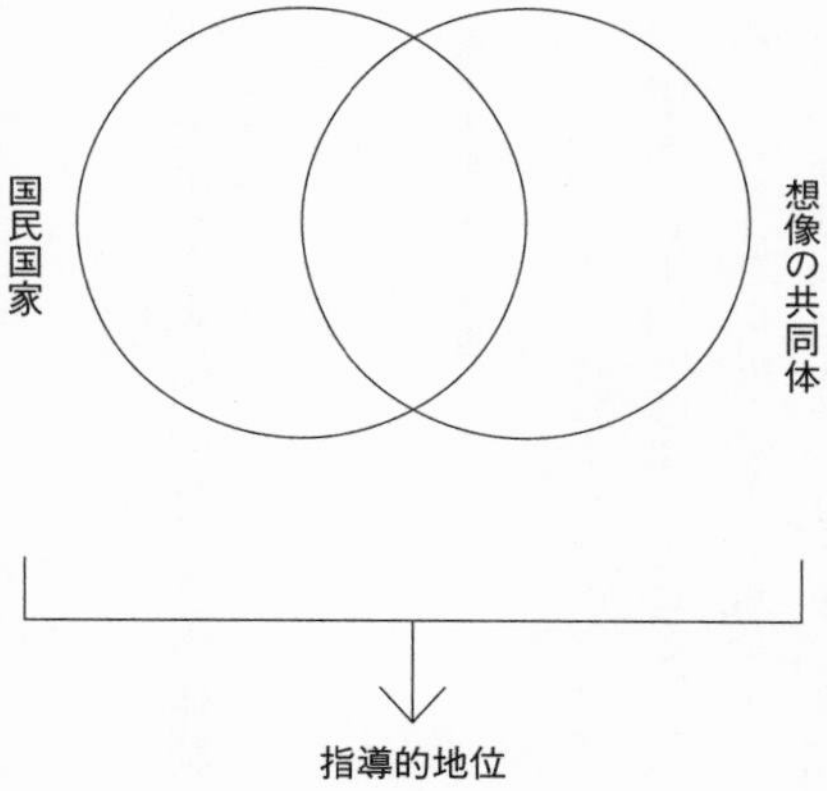

想像の共同体
国民国家
指導的地位

この二つの理念は相まってヨーロッパを指導的地位に押し上げる要因となりました。

(1) ナポレオン帝国からウィーン体制へ

†皇帝ナポレオン一世

一八〇一年一月にグレートブリテンおよびアイルランド連合王国が誕生しました。以下、この国を連合王国と呼ぶことにします。二月、リュネヴィルの和約が結ばれました。マレンゴの戦いとホーエンリンデンの戦いでフランスに敗れたオーストリアは、バタヴィア、ヘルヴェティア、チザルピーナ、リーグレ共和国の承認を再確認し、フランスによるライン川左岸地域（ラインラント）の併合を承認しました。ついにフランスはルイ一四世も果たせなかったライン川を自然国境にするという宿願を実現したのです。三月、ロシアで政変が起こりアレクサンドル一世（在位一八〇一―二五）が登場しました。のちにナポレオンと対決することになります。

七月にフランスと教皇庁とのコンコルダート（一八〇一年政教協約）が結ばれます。ピウス七世（在位一八〇〇―二三）はナポレオン一世の怒りに触れ、一時期北イタリアのサヴォーナに監禁されました（一八〇九―一四）。

一八〇二年三月にフランスと連合王国の間にアミアンの和約が結ばれました。小ピットが、連合王国成立によるアイルランド多数派のカトリックを認めない国王ジョージ三世に抗がえず、一時期辞任した頃の話です（一年余り持った和約が崩れると、すぐに小ピットは首相に復帰しました）。

五月、ナポレオンは有名なレジオンドヌール勲章を定めました。八月には、一七九一年憲法を改定して自らを終身統領（終身執政）と規定します。

一八〇三年四月、アメリカ合衆国の第三代大統領トーマス・ジェファーソン（在任一八〇一―〇九）がフランスからルイジアナを買収します。値段は破格の一五〇〇万ドルでした。アメリカ合衆国の領土は二倍になります。

アレクサンドル1世

ピウス7世（ダヴィッド画）

一一月には、ハイチ独立戦争最後の大規模な戦い、ヴェルティエールの戦いが行われ、フランス軍は敗北しました。人類史上初めて現地（奴隷）軍が自由を勝ち取るのに成功した戦いで

CODE CIVIL
DES FRANÇAIS.

TITRE PRÉLIMINAIRE.

DE LA PUBLICATION, DES EFFETS ET DE L'APPLICATION DES LOIS EN GÉNÉRAL.

ARTICLE 1.er

Les lois sont exécutoires dans tout le territoire français, en vertu de la promulgation qui en est faite par le PREMIER CONSUL.

Elles seront exécutées dans chaque partie de la République, du moment où la promulgation en pourra être connue.

La promulgation faite par le PREMIER CONSUL sera réputée connue dans le département où siégera le Gouvernement, un jour après celui de la promulgation; et dans chacun des autres départemens, après l'expiration du même délai, augmenté d'autant de jours qu'il y aura de fois dix myriamètres [environ vingt lieues anciennes] entre la ville où la

A

フランス民法典、初版（1804年）の第1ページ

す。そして翌一八〇四年正月、ハイチ独立運動の指導者、ジャン＝ジャック・デサリーヌ（一七五八―一八〇六）が指導するフランス領サン＝ドマングは、ハイチ共和国として独立しました（ハイチ革命）。

三月、「フランス民法典」が公布されました。これは「万人の法の前の平等」「国家の世俗性」「信教の自由」「経済活動の自由」などの近代的な価値観を取り入れた画期的なものです。なお、教育改革にも当たり「公共教育法」を制定しています。全国を大学管区に分割し、県ごとに中等学校、師範学校を置き、さらに小学校を置きました。

五月、国会の議決と国民投票を経て、ナポレオンは皇帝になりました（フランス第一帝政）。ナポレオン一世（在位一八〇四―一四、一五）、フランス皇帝、より正確にはフランス人民の皇帝の誕生です。なお、ダヴィッドは、ナポレオンの首席画家として、「ナポレオン一世の戴冠式と皇妃ジョゼフィーヌの戴冠」を描きました。

またナポレオン一世は、フランス革命中に創設されたエコール・ポリテクニーク（グランゼコールの代表と目される高等教育機関）を同じ年に軍学校に指定しています。

ダヴィッド画「ナポレオン1世の戴冠式と皇妃ジョゼフィーヌの戴冠」

神聖ローマ皇帝フランツ二世（在位一七九二―一八〇六）は、ハプスブルク家領を再編し、オーストリア皇帝フランツ一世（在位一八〇四―三五）として即位しました。神聖ローマ皇帝という称号はドイツ諸侯の上に立つ冠位でしたが、すでに三〇年戦争の時点でその権力も権威も有名無実となっていました。そこにナポレオン一世がいわばダメ押しをしたわけです。皇帝が一人であってこそローマ皇帝を名乗れるのですから。フランツ二世は神聖ローマ皇帝の称号を事実上放棄したことになります。

一八〇五年四月に第三次対仏大同盟が結ばれました。神聖ローマ帝国、ロシア帝国、連合王国などが出そろいました。

五月、ムハンマド・アリー（在位一八〇五―四八）がエジプト総督として、もっと直截に述べれば、ムハンマド・アリー朝初代君主として即位しました。

トラファルガーの海戦

アウステルリッツの三帝会戦

オスマン帝国から現地に派遣されたムハンマド・アリーは、副隊長という中堅クラスから頭角を現します。ナポレオンの活躍でエジプトに光が当たりました。エジプト・シリア戦役です。フランス軍はアミアン和約で引き揚げましたが、カイロ暴動が起こりその時まとめたのがムハンマド・アリーだったのです。ムハンマド・アリー朝は一九五三年まで存続しました。

ナポレオンのエジプト遠征は、結果として何を残したのか。ルーヴル美術館に財宝をもたらしたということもありますが、政治的には、オスマン朝からエジプトを切り離し、古代から豊かな穀倉であったエジプトを失わせたことで、オスマン朝の弱体化に拍車をかけました。また文化的にはエジプト学を発展させました。一八二二年には、ジャン＝フランソワ・シャンポリオン（一七九〇―一八三二）が、ロゼッタ・ストーンを解読し、ヒエログリフ（古代エジプト象形文字）を解明しました。「古代エジプト学の父」と言われています。その結果、美術の世界を中心にオリエンタリズムをもたらしました。

一〇月、トラファルガーの海戦が起こりました。フランスと、当時その麾下にあったスペインの連合軍に立ち向かった連合王国のネルソン提督の、「連合王国は各員がその義務を尽くすことを期待する」という檄文を見て奮い立ち勝利に結びつけましたが、ネルソンは戦死しました。しかし、ここにナポレオン一世の英本土上陸の野望は粉砕されたのです。

一二月には、アウステルリッツの三帝会戦が行われました。ナポレオン一世は、ロシア・オーストリア連合軍を破ったことで面目を施しました。敗戦国のオーストリアとの講和は、直に行われ、プレスブルクの和約で合意しました。ナポレオン一世はイタリア王国（一八〇五―一

四、首都ミラノ）を承認させ、ヴェネツィアを得ました。オーストリアはさらに弱まりドイツの諸侯は自立を深め、第三次対仏大同盟は約一年で崩壊します（一二月）。ナポレオン一世は、三帝会戦勝利を記念してヴァンドーム広場に立つコラム（大砲を鋳潰して製作した記念柱）と凱旋門の建築を命じました（一八三六年完成）。

ヴァンドーム広場に立つコラム

ナポレオン一世の絶頂

一八〇六年、一月に小ピットが病死しました。三帝会戦の話を聞いて、さぞ無念に思ったことでしょう。ナポレオン一世は、三月に兄、ジョゼフ・ボナパルト（在位ナポリ王ジュゼッペ一世一八〇六—〇八）をナポリ王に、六月に弟、ルイ・ボナパルト（在位ローデウェイク一世一八〇六—一〇）をホラント王に（バタヴィア共和国を改組）、それぞれつけました。

ジョゼフはまじめに取り組みました。なおナポリ王妃ジュリー・クラリーの妹はスウェーデン王の王妃デジレ・クラリーです。ルイもまじめに取り組み、内政や経済復興にも関心を示し、一方で徴兵制はこれを拒否しました。ホラント王妃オルタンス・ド・ボアルネは、兄ナポレオ

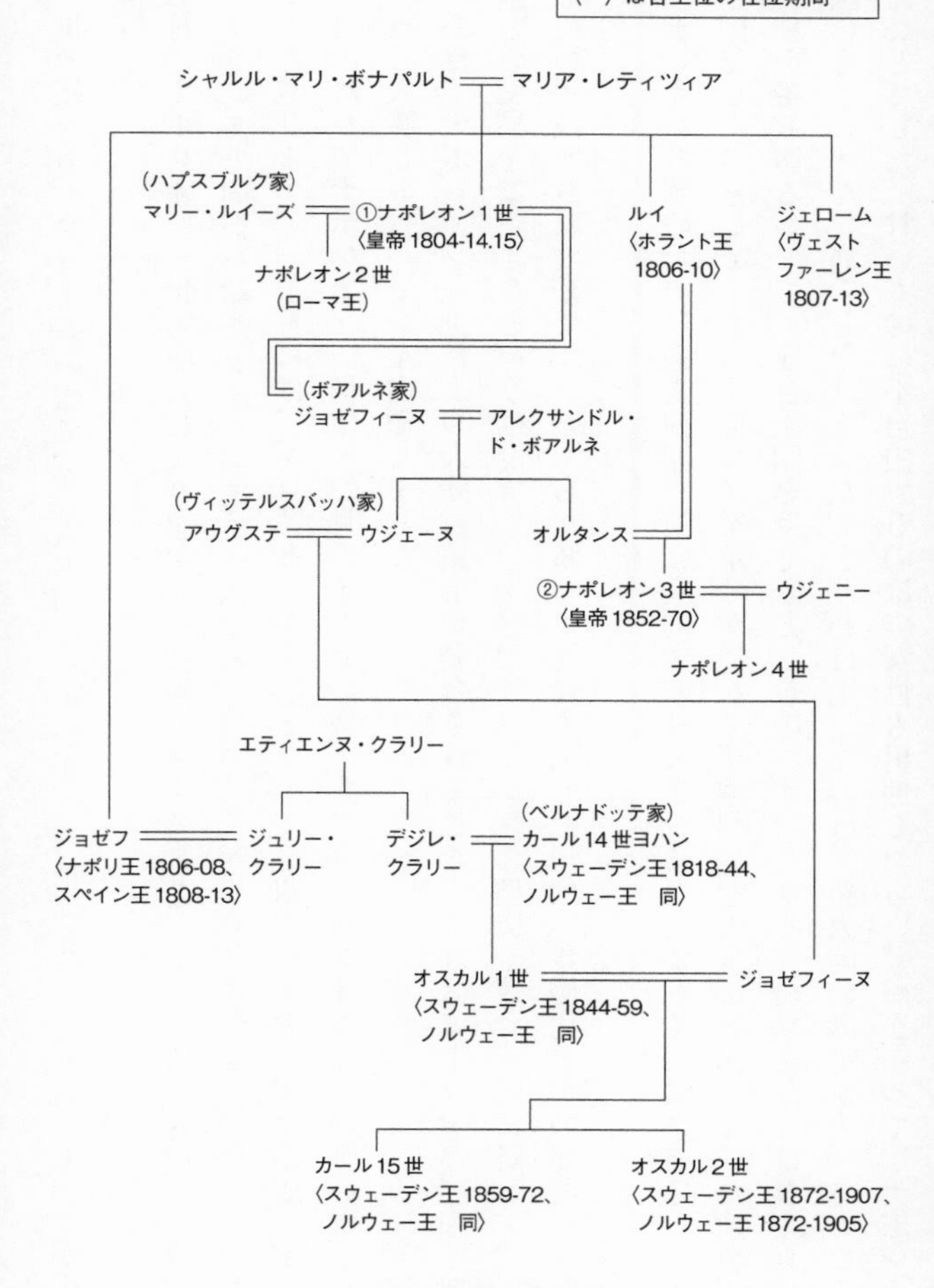
①〜②はフランス皇帝即位順
〈 〉は各王位の在位期間
シャルル・マリ・ボナパルト
マリア・レティツィア
(ハプスブルク家)
マリー・ルイーズ
①ナポレオン1世
〈皇帝1804-14.15〉
ナポレオン2世
(ローマ王)
ルイ
〈ホラント王
1806-10〉
ジェローム
〈ヴェスト
ファーレン王
1807-13〉
(ボアルネ家)
ジョゼフィーヌ
アレクサンドル・
ド・ボアルネ
(ヴィッテルスバッハ家)
アウグステ
ウジェーヌ
オルタンス
②ナポレオン3世
〈皇帝1852-70〉
ウジェニー
ナポレオン4世
エティエンヌ・クラリー
ジョゼフ
〈ナポリ王1806-08、
スペイン王1808-13〉
ジュリー・
クラリー
デジレ・
クラリー
(ベルナドッテ家)
カール14世ヨハン
〈スウェーデン王1818-44、
ノルウェー王　同〉
オスカル1世
〈スウェーデン王1844-59、
ノルウェー王　同〉
ジョゼフィーヌ
カール15世
〈スウェーデン王1859-72、
ノルウェー王　同〉
オスカル2世
〈スウェーデン王1872-1907、
ノルウェー王1872-1905〉

ボナパルト家系図

ン一世の妃ジョゼフィーヌの娘で、二人の間にナポレオン三世（在位一八五二―七〇）が生まれます。

七月、ナポレオン一世の圧力により全ドイツ諸侯（オーストリア、プロイセンは除く）は、全員、フランスと同盟を結びライン同盟（一八〇六―一三）を発足させました。神聖ローマ帝国はここに滅びます。一〇月には、プロイセンが中心となって第四次対仏大同盟を結成しました。

これに対してナポレオン一世は一〇月のイエナの戦いとアウエルシュタットの戦いでプロイセン軍に大勝してベルリンを占領しました。

一一月、ナポレオン一世により大陸封鎖令が発令されました。これはヨーロッパ諸国と連合王国との交易を禁止するという勅令です。半分だけフランスに楯突く連合王国に対して、これが最後の手段とされたのです。どちらが勝つか連合王国と欧州は「我慢比べ」の局面になりました。

ナポレオン打倒のために過去四回、対仏大同盟が結成されましたが、その首謀者はいつも連合王国でした。そこで、当時すでに産業革命が進んで工業製品を大量に輸出していた連合王国の交易を絶ち切ることで、連合王国を倒そうとしたのです。しかし、結果としてはヨーロッパ諸国にもたいへんな痛手となりました。とりわけ困ったのは、新大陸の砂糖が入ってこなくなったことでした。甘いものに不自由するのは、女性も男性もつらい。かといって、ナポレオン一世に刃向かうわけにはいかない。ところが、砂糖不足で困ったのはフランスも同様でした。そこで、なんとかせねばと考え出されたのが甜菜(てんさい)の栽培です。甜菜とはサトウダイコンのことで、このヨーロッパ原産の野菜から糖分を採取する方法が、フランスの実業家によって開発され普及しました。ナポレオンはのちに、この実業家バンジャマン・ドゥレセールにレジオンドヌールの勲章を与えています。

一八〇七年七月フランスとロシアならびにプロイセン間でティルジットの和約が結ばれました。ナポレオン一世と、ロシア皇帝アレクサンドル一世、プロイセン王フリードリヒ・ヴィルヘルム三世(在位一七九七―一八四〇)とが講和しました。これにより、ロシアが連合王国へ宣戦することが確認されました。英露戦争は一八〇七年から一八一二年まで続きます。またロシアは大陸封鎖令に参画しました。プロイセンはかつての領土が半減され(人口九〇〇万人から四〇〇万人に縮小)、陸軍は四万人に制限、さらに一億二〇〇〇万フランの賠償金を課せられました。それに代わってヴェストファーレン王国(一八〇七―一三)とワルシャワ公国(一八〇七―一五)が誕生しました。前者にはナポレオン一世の末弟ジェローム・ボナパルトが国王として選ばれ、後者にはザクセン国王のフリードリヒ・アウグスト一世(在位一八〇六―二七)が選ばれました。

プロイセンではハインリヒ・フリードリヒ・フォン・シュタイン(一七五七―一八三一)が、

一〇月に首相となりました。シュタインは、すぐさま一〇月に農奴制（世襲隷農制）を廃止して農民を領主への人格的隷属から解放しました。そして、土地売買の自由、職業選択の自由を認める勅令（一〇月勅令）を発表します。一八〇八年には、都市条例による市民自治の導入、営業の自由、軍制改革、行政機構の改革、教育改革など開明的な「上からの近代化」を断行しました。

シュタイン

彼の理念は、フランス革命によって生まれたネーションステート（国民国家）をモデルとしたものでした。シュタインは、ナポレオン一世によって一一月に追放されます。

また、ベルリン大学（現在はフンボルト大学）の初代哲学教授のヨハン・ゴットリープ・フィヒテ（一七六二―一八一四）は、「ドイツ国民に告ぐ」という演説（一四回。一八〇七―〇八）をして、すべての教育はドイツ語でドイツ国民に対して行われるべきだと訴えました。ナポレオン一世が創出したフランス国民に対して、フィヒテはドイツ国民を対置したのです。

ゲオルク・ヴィルヘルム・フリードリヒ・ヘーゲル（一七七〇―一八三一）は、ナポレオン一世個人を世界精神と見なし、その「世界精神が馬に乗って通る」と表現していますが、主著「精神現象学」がこの年、刊行されました。

一一月、ナポレオン一世は大陸封鎖令に従わないポルトガルを攻撃し占領しました。ポルトガル王室は、連合王国の船でブラジルに逃亡します。これは、ポルトガル海上帝国において重大な転換点でした。当時の女王はマリア一世（在位一七七七―一八一六）ですが、一七九二年以降、狂女ドナ・マリアといわれているように完全な狂気に陥り、摂政を置いていました。

同じ年、オスマン皇帝セリム三世がイェニチェリ軍団に廃位され（一年以上幽閉されて死亡）ムスタファ四世が即位します。けれど新スルタンは、一年余りで廃位されました。

†スペインの反乱

一八〇八年五月、スペイン王室の混乱に乗じて、ナポレオン一世はナポリ国王にしていた兄のジョゼフをスペインの王位につけました。スペインの政変でカルロス四世（在位一七八八―一八〇八）、王妃マリア・ルイサ、宰相マヌエル・デ・ゴドイが追放され、カルロス四世の子のフェルナンド七世（在位一八〇八、一八一三―三三）が即位します。ところがナポレオン一世はこれを認めず、フェルナンド七世は二カ月足らずで退位を余儀なくされました。そこでナポレオン一世は、兄を連れてきた訳です。兄は、スペイン王（ホセ一世一八〇八

ヘーゲル

ゴヤ画「1808年５月３日」

一一三）として、異端審問の廃止、封建制廃止などの旧体制打破を目指しました。ホセ一世自身はスペインのゲリラとの和解を目指しましたが、ナポレオン一世はゲリラ征伐の態度で一貫していました。

誇り高いスペインの民衆は、執拗な抵抗を始めます。スペイン独立戦争が起きました。ゲリラ＝「小さな戦争」が始まったのです。この反乱に連合王国とポルトガルが加勢します。この半島戦争は六年間も続きました。なお、半島戦争の発端となったマドリード市民の蜂起、虐殺については、スペインの大画家、フランシスコ・デ・ゴヤ（一七四六―一八二八）が怒りを込めて描いています。ナポレオン一世の傀儡（かいらい）国家は、基本的には軍事独裁政権でした。

しかしそのエネルギーの源泉はフランス革命にあり、理念はあくまで「自由・平等・友愛」です。「ヨーロッパの国は封建的な旧体制（アンシャン・レジーム）で人々を苦しめるばかりだから、ナポレオン一世が新しい革命精神と民法典など新しい制度を広めて民衆を助けるのである」。これがフランス帝国の膨張理論でした。そして結果的には、自由・平等・友愛という革命の精神が、フランス軍によって良きにつけ悪しきにつけ、麻疹(はしか)のようにヨーロッパ中を席捲(せっけん)しました。それは南米にまで広がって行くのです。

一八〇九年四月、オーストリアは、ナポレオン一世がスペインのゲリラ戦で苦戦しているのを見て、連合王国と第五次対仏大同盟を結び開戦しました。しかしウィーンを占領され、ヴァグラムの戦いにも敗れて(七月)、シェーンブルン和約で講和しました(一〇月)。講和内容は屈辱的なものでした。

シェーンブルン和約では、フランスにはトリエステとダルマチアを、バイエルン王国にはザルツブルクとチロルを、ワルシャワ公国には北部ガリツィアとルブリンを割譲します。それだけではありません。ロシアに対しては、オーストリアと戦わなかったにもかかわらず、東部ガリツィアを割譲しました。オーストリアは人口の約六分の一、四〇〇〇万人を失います。第五次対仏大同盟は半年で崩壊しました。

同じ年、フランス科学芸術委員会は「エジプト誌」第一巻を刊行しました。ナポレオン一世によるエジプト遠征時の学術研究をまとめたものです。またミハイル・スペランスキー(一七七二―一八三九)が「国家改造案」をロシア皇帝アレクサンドル一世に提出します。「ロシア自由主義の父」と呼ばれるスペランスキーは、憲法制定とドゥーマ(国会)開設を、アレクサンドル一世に向けて説いたのです。一八〇九年から一八一二年までスペランスキーは絶大な権力を握りました。

同じ年、チェガルの戦いで、オスマン帝国がセルビア人反乱を鎮圧します。反乱軍は斬首され、ニシュの「頭蓋骨の塔（チェレ・クラ）」で見せしめにされました。

✝ナポレオンの没落

一八一〇年、スウェーデン王太子カール・アウグストが事故死し、ハンス・アクセル・フォン・フェルセンがストックホルムの暴動で惨殺されました。フェルセンは、マリー・アントワネットと深く関わり、特にヴァレンヌ事件では王妃の逃亡を助けました。スウェーデン議会は老督のカール一三世（在位一八〇九—一八一八）の王位継承者として、ナポレオン軍の元帥、ジャン＝バティスト・ジュール・ベルナドットを指名しました。ナポレオン一世は承諾し、ここに誕生したスウェーデン王家が今日まで続いています。ですから、スウェーデン王家の祖先はフランス人です。

ベルナドットの妻デジレ・クラリーは、姉はナポレオン一世の兄ジョゼフの妻です。ナポレオンの元婚約者です。ベルナドットとの間に一人息子が生まれています。けれどもナポレオンはジョゼフィーヌと結婚しました。なお、ジョゼフィーヌの二人いた連れ子、ウジェーヌとオルタンスは、義父ナポレオン一世と暮らすようになりましたが、オルタンスは一八〇二年にナポレオン一世の弟であるルイと結婚しました。その間に生まれた子供が、後のナポレオン三世になります。

しかしナポレオン一世は、子供が生まれないのでジョゼフィーヌと離婚し、オーストリア皇女マリー・ルイーズ（皇后在位一八一〇―一四。パルマ女公一八一四―四七）と再婚しました。

同じ年、フンボルト大学（ベルリン）が創設されます。またロシアでスペランスキーにより国家評議会が設置されました。

一八一一年、マリー・ルイーズは皇太子を出産しました。ナポレオン一世は、すぐにこの子供をローマ王とします。神聖ローマ帝国は消滅して、ローマ皇帝という位も無くなりましたが、かつてはローマ皇帝となる人は、まずローマ王となるという習慣がありました。ナポレオン一世は、我が世の春を迎えたのです。

ベルナドット

ナポレオン一世の大陸封鎖令によってヨーロッパ諸国も苦しみましたが、もちろん連合王国の痛手も小さくはありませんでした。戦意は衰えなかったものの、ただ打ち続くフランスとの我慢比べに市民の気力も消耗しがちでした。そこに一八一一年、ラッダイト運動が起こりました。ラッダイトの由来となったのは、ネッド・ラッドという架空の人物です。これは産業革命に対する一種の反動で、機械その他の工場財産を破壊し、それを威嚇の手段として労働条件の改善を求める運動でした。同じ年、連合王国国王ジョージ三世が精神疾患のため、王太子ジョージ（四世）が摂政となります（摂政皇太子の時代。一八二〇年まで）。

同じ年、エジプト総督ムハンマド・アリーによるシタデルの虐殺（惨劇）が起こりました。第一次サウード王国に対するアラビア半島遠征への壮行会に乗じてこの国の支配者層であるマムルークを虐殺し（四〇〇人あまりを殺害）、権力基盤を固めました。

一八一二年、連合王国は、アメリカとの戦争に踏み込みました。大陸封鎖令に対抗して連合王国が実行した海上封鎖によって、ヨーロッパからの工業製品の輸入が途絶え、多大な被害を受けたアメリカが、戦端を開きます。この当時アメリカは中立国の立場にあり、ヨーロッパとの交易は可能でした。しかし連合王国の海上封鎖によって、フランスを始めとするヨーロッパの商船の活動が妨害されると、そのとばっちりを受けるのはアメリカでした。

この米英戦争は、一八一五年まで続きます。首都ワシントンが焼き討ちにあったのは一八一四年の事でした。このときの焼け焦げを隠すために真っ白なペンキを塗ったことから、大統領官邸はホワイトハウスと呼ばれるようになったという有名なエピソードがあります。戦争中にフランシス・スコット・キー（一七七九―一八四三）が星条旗の歌詞を書き、のちに曲がつけられて国歌になりました。アメリカでは、この戦争を通じて工業が発達、初めて連合王国から経済的に独立したのだという考え方から、第二次独立戦争とも呼ばれています。

我慢比べに音を上げて、大陸封鎖令を先に破り始めたのは、ロシアでした。ロシア皇帝アレクサンドル一世が、大陸封鎖令を平然と破り始めたので、一八一二年、ナポレオン一世の大陸軍はモスクワ遠征を決行しました。そしてモスクワを落としますが、ロシア軍は焦土戦術を採り、モスクワ一帯を焼き尽して東方へ逃げました。ナポレオン一世は追い詰め切れず、荒野と化したロシアの平原で冬将軍に襲われて、六〇万人の大陸軍はほぼ壊滅します。

「ナポレオンのモスクワからの退却」アドルフ・ノーザン画

なお、この年にフランクフルトでマイアー・アムシェル・ロートシルト（一七四四―一八一二）という裕福なユダヤ人が死去しました。彼の五人の息子が協力して、高名な金融資本家のロスチャイルド家（五家）が誕生します。

一八一三年、パリに帰還したナポレオン一世に対してヨーロッパ諸国はプロイセンを中心に第六次対仏大同盟を結びました。ベルナドットが摂政として治めていたスウェーデンも参加します。そして連合王国のアーサー・ウェルズリー（初代ウェリントン公爵。一七六九―一八五二）は、スペインのフランス軍を破りました。フランス軍は撤退して、スペインの王位はナポレオン一世の兄ジョゼフから、元のボルボン家のフェルナンド七世に戻されます。

同じ年の一〇月、ライプツィヒの戦いで、二倍の兵力を持つプロイセン・オーストリア・ロシア・スウェーデンの連合軍がナポレオン一世に圧勝します。連合軍の総司令官はベルナドットでした。この戦いをドイツの学者は「諸国民の戦い」と呼び、ドイツの解放戦争と位置づけました。ライン同盟は解体されます。この敗北によってナポレオン一世の命運は尽きました。

一八一四年、キール条約で、ナポレオン戦争の敗戦国・デンマークがノルウェーをスウェーデンに割譲しました。これ以降スウェーデンとノルウェーは同君連合となります。連合軍はパリに入城、四月にフォンテーヌブロー条約により、ナポレオン一世は退位し地中海のエルバ島に流されました。そしてフランスはブルボン復古王制となり、ルイ一六世の弟ルイ一八世（在位一八一四―一五、一五―二四）が即位します。

ナポレオン一世の退位を受けて、戦後の秩序を立て直そうと、ヨーロッパ諸国は一八一四年九月にウィーン会議を開きました。この会議の主導者はオーストリアの外相クレメンス・フォン・メッテルニヒ（外相一八〇九―四八、宰相一八二一―四八）でしたが、初めのうちは各国の主張を調整するのが難しく、舞踏会ばかりを開いていました。「会議は踊る、されど進まず」という状況を見たナポレオン一世は、一八一五年にエルバ島を脱出して、パリに戻り皇帝に復帰します。

ウィーン会議は結論を急ぎます。第七次対仏大同盟が結成されました。ところで、ウィーン会議で主導的理念を唱えた人は、敗戦国フランスの外相シャルル＝モーリス・ド・タレーラン＝ペリゴール（一七五四―一八三八）でした。名門貴族の出身であり、メートル法の提唱者でもあるタレーランは、総裁政府やナポレオン一世にも仕えた有能な外交官です。彼が愛人に生ませた子供がロマン派の巨匠ウジェーヌ・ドラクロワ（一七九八―一八六三）であるとの有力説があります。

ウィーン会議の風刺画「会議は踊る、されど進まず」

タレーランがこのウィーン会議で唱えた理念が、正統主義でした。ヨーロッパの正統的な体制である王朝をフランス革命が壊してしまった。フランス革命の思想は自由・平等・友愛という共和主義である。そしてナポレオン体制は、実はフランス革命の申し子なのだ。だから、すべてを元の正統な体制に戻すことが肝心だ。

つまり、元の正統な世界に戻せばヨーロッパは収まりますよ、というなんとなく筋が通っているような意見に、各国の代表はみんな納得してしまいます。「悪いのは、フランスではない。革命という麻疹だな」。こうして敗戦国フランスは旧来の領土をほとんど失うことなく、ヨーロッパの国境はナポレオン一世以前に戻ってしまうのです。

しかし、あれだけヨーロッパ中を混乱に陥れたフランスの痛手が、ほとんど無いというのは不思議な話です。タレーランの外交手腕が卓抜だったのかもしれません。しかし敗戦国の代表に手玉に取られるぐらいですから、ウィーン会議のイニシアチブを握っていたメッテルニヒやロシアのアレクサンドル一世が、あまり有能ではなかったのでしょう。外交がいかに個人の能力によって動くかを垣間見せてくれたのも、またウィーン会議であったと思います。

そして危機感を抱いた各国の間で妥協が成立し、ウィーン議定書が締結されました。ワーテルローの戦いの直前の事でした。そのワーテルローの戦いでナポレオン一世は敗れて「一〇〇日天下」で終わり、大西洋の孤島セント・ヘレナに流され、そこで生涯を終えることになりま

「ワーテルローの戦い」ウィリアム・サドラー画

した。

✝ウィーン体制という反動

一八一五年のウィーン会議によってもたらされたヨーロッパの秩序は、ウィーン体制と呼ばれています。

まず、正統主義によって、共和国の存在が否定されました。すべての領土は正統な君主のものである、という発想だからです。ナポレオン一世によって共に滅ぼされたヴェネツィア共和国とアドリア海に面するラグーサ共和国（ドゥブロヴニク）は、オーストリアの領土になりました。オーストリアはドイツ連邦の盟主となり、ミラノを中心とするロンバルディアも獲得しました。

連合王国はネーデルラントから、海外領土のスリランカとケープタウンを得ます。ネーデルラントの国王ルイがナポレオン一世の弟であったからです。ロシアは、フィンランド大公国とポーランド立憲王国（ワルシャワ公国から改称）を得ます。ただ

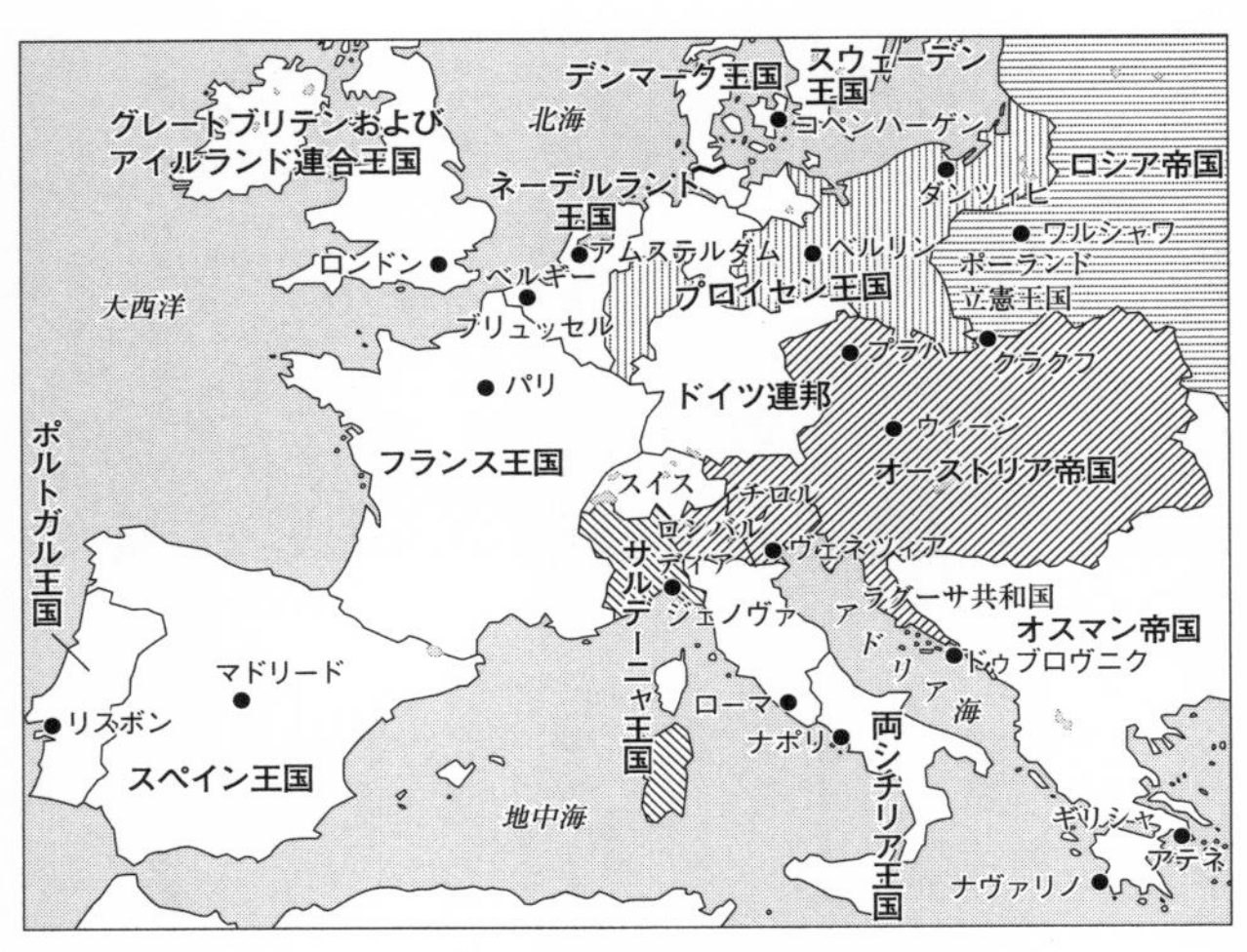

ウィーン体制（1815年以後）のヨーロッパ

し両国ともロシアに合併はせず、ロシア皇帝が大公位と王位を兼ねる形にしました。

次にプロイセンはナポレオン一世に削られた領土を取り返します。スウェーデンはデンマークからノルウェーを得て同君連合となりました。サルデーニャはジェノヴァ共和国を得ます。ネーデルラントは海外領土を失ったので、ベルギーを得ました（ただし、ベルギーは一八三〇年に独立します）。そしてフランスとスペインとナポリは、ブルボン家に返されます（ナポリ王国は一八一六年にシチリア王国と合併して両シチリア王国となります）。

ナポレオン一世に占領されていたローマ教皇領も教皇の手に戻ります。また、スイスは正式に永世中立を認められました。

このように領土関係が元に戻る過程で、ア

レクサンドル一世の提唱によって神聖同盟が生まれ、反動政策をリードしました。一八一五年にロシア、プロイセン、オーストリアの三国間で結ばれたこの神聖同盟は、キリスト教の正義・友愛の精神に基づき、各国君主が連携して平和の維持を図ろうとする（つまり、自由主義やナショナリズムを抑圧する）盟約でした。

†シモン・ボリバルによるラテンアメリカ独立運動

一八一六年、前年のインドネシア・タンボラ火山噴火（スンバワ島）の影響で各地が寒冷化し、「夏のない年」と呼ばれました。ローマ時代のポンペイを消滅させたヴェスヴィオ山噴火の約二〇倍の規模、また一八八三年のクラカタウ噴火（ジャワ島とスマトラ島の間）の約四倍、広島型原爆の約五万二〇〇〇倍に相当するエネルギーがあったと見積もられています。約一〇万人が犠牲になりました。

同じ年、世界で最初に連合王国が金本位制を導入しました。この間にラテンアメリカも大きく揺れ動きます。シモン・ボリバル（一七八三―一八三〇）はナポレオンに刺激を受けて故郷カラカスに帰りました。一八一一年、シモン・ボリバルらが建国したベネズエラ共和国（第一次）はスペイン軍に敗れ、一旦崩壊しました（一八一二年）。その後ベネズエラ第二共和国（一八一三―一四）の成立を宣言しましたがまた敗れます。一八一六年、アルゼンチン（ラプラタ連合）がスペインから独立しました。

アルゼンチンのホセ・デ・サン＝マルティン（一七七八―一八五〇）将軍は、一八一七年、アンデス越えを行なってチリを解放・独立（一八一八年）させ、スペイン軍の本拠ペルーへ向かいます。

同じ年、ベネズエラ第三共和国（一八一七―一九）が成立しました。

シモン・ボリバル

またトマス・ブルース（第七代エルギン伯爵。一七六六―一八四一）がパルテノン神殿彫刻（エルギン・マーブル）を大英博物館で公開します。連合王国の詩人ジョージ・ゴードン・バイロン（一七八八―一八二四）は、「略奪」行為を非難しました。彼の一人娘がエイダ・ラブレス（一八一五―五二）で世界初のコンピュータープログラマーとして知られています。またセルビア公国がオスマン朝から独立しました。
一八一八年、スウェーデンでベルナドットがカール一四世ヨハン（在位一八一八―四四）として即位し、新王朝ベルナドッテ朝が始まりました。
同じ年、エジプトが第一次サウード王国を攻略し滅亡させました。これは、ムハンマド・イブン＝サウードが一七四四年に新しく造った王国で、イブン＝サウードの息子アブドゥルアジズ・ビン＝ムハンマドと、ムハンマド・イブン＝アブドゥルワッハーブの娘の結婚により、両家の盟約は強固なものとなりました。スンナ派ムスリムの宗教家であったアブドゥルワッハーブはイブン＝サウードと同盟を結んでいたのです。しかし、あまりに過激な教えはオスマン朝を刺激しました。オスマン朝はエジプトにアラビアを再征服するよう指図しました。ムハンマド・アリーはこれを聞いてマムルークとワッハーブ派という邪魔な集団が消え去ることを望みます。そしてその目的は達成されました。同時にムハンマド・アリーはマッカとメディナの両モスクの支配者となったのです。

一八一九年、シモン・ボリバルは大コロンビア（ベネズエラ、コロンビア、パナマ、エクアドル）独立宣言を行ない、ベネズエラやエクアドルのスペイン軍支配地域の解放に向かいます。

サン＝マルティン

ドイツでは学生運動、ブルシェンシャフト（学生組合）を取り締まるカールスバート決議がメッテルニヒの主導で進められ、その運動は挫折に終わりました。

同じ年、アダムズ＝オニス条約でアメリカ合衆国がスペインからフロリダを購入しました。

一八二〇年、連合王国ではジョージ四世（在位一八二〇―三〇）が即位しました。ところでスペインのフェルナンド七

ミロのヴィーナス（ルーヴル美術館所蔵）

世は、一八一三年三月に復位する際、新しい憲章を支持すると宣言しましたが、実際にやった事は違ったため、ラファエル・デル・リエゴ（一七八四―一八二三）らによるスペイン立憲革命で三月、国民主権を定めたカディス憲法（一八一二年憲法）が復活されました。同様に秘密結社カルボナリ（炭焼党）がナポリ革命を起こします。スペインは立憲革命がフランスの干渉で挫折する一八二三年まで、自由を守りぬきました。

同じ年、ミロのヴィーナスが地中海のミロス島で発見されました。

一八二一年、ギリシャ独立戦争が始まりました。一八二九年まで続きます。ウィーン会議でフランス革命の麻疹は一旦せき止められ、旧来の王制が復活しましたが、すでに自由・平等・友愛という知恵の実は、ヨーロッパ中に、いやラテンアメリカにまで広がっていました。そして、ナポレオン一世の創設したネーションステートは、各国にナショナリズムを誕生させたのです。「想像の共同体」が生まれました。この「想像の共同体」こそが、現在の世界秩序の源となっているのです。

ギリシャを支配していたオスマン朝は、ナポレオン一世（その後はムハンマド・アリー）によって穀倉地帯のエジプトを切り離されてから瀕死の病人と揶揄（やゆ）されるように弱体化していきました。南下を狙うロシアの後押しもあって（ギリシャは東方教会の地であり、ロシアはモスクワを第三のローマと称して東方教会の守護者を自任していました）、ギリシャの人々が好機到来とばかりに独立運動を起こしたのです。一八二二年には独立宣言を行います。古代文明発祥の地ギリシャの蜂起は、ヨーロッパの芸術家や市民の共感を集めました。連合王国の詩人バイロンを始めとして、多くの市民が義勇軍としてギリシャへ向かいました。

一方、この「自由主義の三年間」に、南米の解放・独立がさらに進展しました。一八二一年、メキシコとベネズエラが独立、サン＝マルティンはリマを奪取してペルーも独立します。メキシコ独立革命は一八一〇年から一〇年以上かかりました。ミゲル・イダルゴ（一七五三—一八一一）の独立運動を嚆矢（こうし）として（「ドローレスの叫び」）、何年も何年も血の滲（にじ）むような努力が重ねられました。

バイロン

一八二二年、南から進軍したサン＝マルティンと北から進軍したシモン・ボリバルは、グアヤキル会談を行い、サン＝マルティンは引退を決意しました。

同じ年、ブラジル帝国（一八二二—八九）がポルトガルから独立します。ブラジルは他の諸国とは異なり宗主国に好意的でした。また、アメリカは、この年、アルゼンチン、大コロンビア、メキシコの独立を承認しました。

†モンロー宣言

一八二三年、アメリカのジェームズ・モンロー大統領（在任一八一七―二五）は議会に送った教書で、新旧両大陸間の相互不干渉を主張しました。世にモンロー宣言といわれるものです。これは、アメリカはヨーロッパの紛争には口を出さないので、ウィーン体制（ヨーロッパ）もアメリカ諸国の独立の動きに干渉しないでほしい、もし干渉すればアメリカ合衆国は黙っていない、という意思表示でした。

南アメリカでこれだけ多くの独立国が誕生したのだから、これからはアメリカ大陸だけでもやっていける、また、革命の嵐の先鞭をつけたのはアメリカ独立戦争だったので、新しく独立した南米の国々を守るのは、パイロットとなったアメリカの責任だという気概もありました。モンロー主義は、のちに名誉ある孤立の側面ばかりが強調されて、時々自信をなくすと閉じこもるクセのあるアメリカを揶揄する表現となっていきますが、もともとは太い背骨のある主張であったのです。

一八二四年、エジプトのムハンマド・アリーがオスマン帝国側についてギリシャ独立戦争に参戦しました。一方、トゥルキー・ビン・アブドゥッラーがリヤドを都とし、第二次サウード王国を建国しますが、内紛が激しく、一八九一年にリヤドを追われたため滅亡しました。

一八二五年、ロシア皇帝アレクサンドル一世が没しました。次の皇帝ニコライ一世（在位一八二五―五五）が即位した時にデカブリストの乱（自由主義を標榜する将校たちによるクーデター未遂）が起きました。またボリビアがスペインから独立します。南米のスペイン支配はここに終わりを告げました。

一八二六年、オスマン帝国でマフムト二世（在位一八〇八―三九）がイェニチェリ軍団を廃止しました。二〇〇年以上帝国の実権を握り続けたイェニチェリは歴史の幕を閉じました。マフムト二世は上からの改革を推し進めて帝国の再生を図った皇帝であり、オスマン帝国における啓蒙専制君主と評価されます。

モンロー

一八二七年、ナヴァリノの海戦が行われました。ペロポネソス半島南端のナヴァリノ湾での海戦で、連合王国・フランス・ロシア連合艦隊がオスマン帝国艦隊をほぼ全滅させました。帆走主力艦同士の最後の戦いとなったといわれています。

同じ年、イタリアの作家アレッサンドロ・マンゾーニ（一七八五―一八七三年）は「いいなづけ」という歴史小説を発表しました。イタリアにも統一国家をつくろうという気運が高まるなかで書かれたこの小説は、ダンテの「神曲」と並ぶイタリアの国民文学となりました。

マンゾーニ

一八二八年、ロシアとガージャール朝でトルコマーンチャーイ条約が締結されました。ロシアとガージャール朝は前にゴレスターン条約（一八一三年）を結んでいましたが（ガージャール朝にジョージアに対する主権を放棄など）、再び戦争になり、ガージャール朝が負けてトルコマーンチャーイ条約を結ぶ羽目に陥りました。今度はアルメニアなどの割譲と領事裁判権が主なものです。この条約を皮切として、ガージャール朝は他の西欧列強とも不平等条約を締結していきました。

一八二九年、ロシアとオスマン朝の間のアドリアノープル条約でギリシャの独立は承認されました。

†フランスでは一八三〇年に七月革命が起きる

フランスはウィーン会議の結果、ルイ一六世の弟、ルイ一八世が王位に復帰していました。しかし彼には後継者がなく、もうひとりの弟、シャルル一〇世（在位一八二四―三〇）が後を継ぎました。シャルル一〇世は、一八三〇年に、アルジェリアに侵入します（アルジェリア侵略。一八三〇―四七）。フランスは、一八二七年にアルジェの太守、フサイン・イブン・パシャが駐フランス領事に腹を立て「扇の一打事件」を起こしますが、謝罪を拒否していました。フランスはこれを口実に使い、フサインを降伏させました。一八三四年には、アルジェリアはフランスに併合されます。一六年にわたるアブド・アルカーディル（一八〇八―八三）の英雄的な抵抗も空しく、やがてアルジェリア全土がフランス領となります。一八四七年のことでした。

「民衆を導く自由の女神」ドラクロワ画

また国内では次々と反動的な政策を打ち出し、ついに議会を解散させました。さらに選挙権の縮小を命じる七月勅令を出したことでパリは爆発し、七月革命が始まります。

この結果、ブルボン家のシャルル一〇世は連合王国へ亡命し、オルレアン家のルイ・フィリップ（在位一八三〇―四八）が新しい王となり（「フランスの王」ではなく「フランス人の王」を自称)、フランスは立憲君主制に移行しました(七月王政・オルレアン朝)。

この七月革命を描いたのがドラクロワの傑作「民衆を導く自由の女神」です。

ルイ・フィリップ

七月王政の成功を聞いて、ベルギーが独立革命を起こしました。一八三〇年の一一月に開かれたロンドン会議において、ベルギーの独立を否定したのはロシア、プロイセンの二国にとどまり、ヨーロッパ諸国でネーデルラントを支援する国は他にはありませんでした。ここにベルギーは独立を果たし、初代国王には、レオポルド一世(在位一八三一―六五)が選ばれました。

また、ロシア支配下のポーランドで一一月蜂起(カデット・レボリューション)が起きますが、一年足らずの反撃の後、鎮圧されました。パリに住んでいたフレデリック・ショパン(一八一〇―四九)は敗れた祖国を悲しみ「革命のエチュード」(練習曲作品一〇―一二)を作曲します。

同じ年、ロバート・スチーブンソン(一八〇三―五九)のロケット号が世界初の旅客鉄道としてマンチェスター・リヴァプール間に開通しました。

同じ年、アメリカでは、第七代大統領のアンドリュー・ジャクソン(在任一八二九―三七)の下、インディアン移住法が成立しました。先住民を遠隔地の保留地に強制隔離するものです

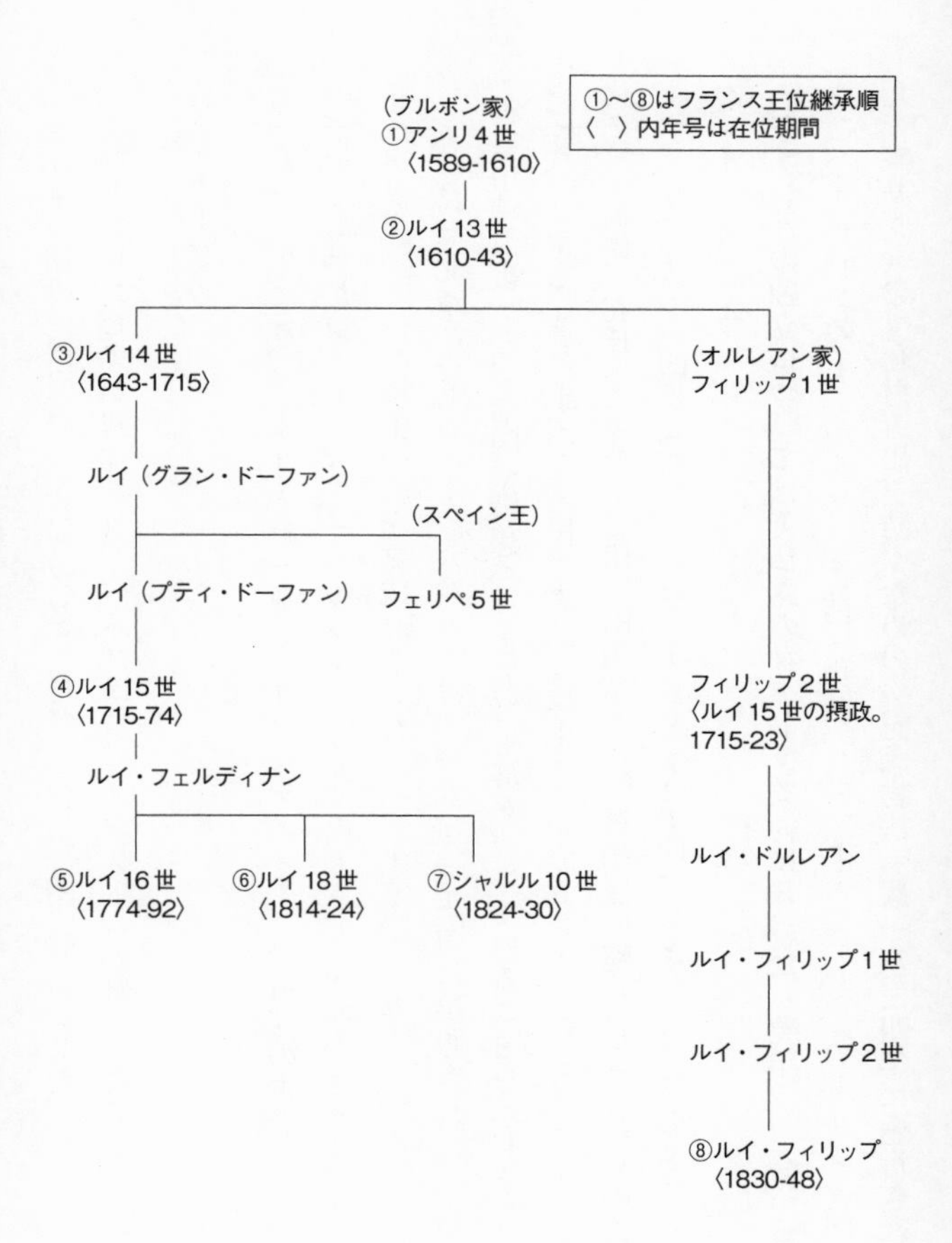

①〜⑧はフランス王位継承順
〈　〉内年号は在位期間
(ブルボン家)
①アンリ４世
〈1589-1610〉
②ルイ13世
〈1610-43〉
③ルイ14世
〈1643-1715〉
(オルレアン家)
フィリップ１世
ルイ（グラン・ドーファン）
(スペイン王)
ルイ（プティ・ドーファン）
フェリペ５世
④ルイ15世
〈1715-74〉
フィリップ２世
〈ルイ15世の摂政。
1715-23〉
ルイ・フェルディナン
⑤ルイ16世
〈1774-92〉
⑥ルイ18世
〈1814-24〉
⑦シャルル10世
〈1824-30〉
ルイ・ドルレアン
ルイ・フィリップ１世
ルイ・フィリップ２世
⑧ルイ・フィリップ
〈1830-48〉

ブルボン家系図

（チェロキー族の「涙の道」）。ジャクソン自身、人種差別主義者でした。

また大コロンビアが解体され、ベネズエラ、エクアドルが独立しました。

†グレート・トレック

一八三一年には、イタリア統一運動（リソルジメント）の最初の走者、秘密結社カルボナリの一員であったジュゼッペ・マッツィーニ（一八〇五―七二）が、亡命先のマルセイユで「青年イタリア」という政治組織を結成しました。

また葛飾北斎（一七六〇―一八四九）は、一八三一年頃に出版された「富嶽三十六景」の「神奈川沖浪裏」で、構図や構想では世界でも群を抜いていることを示しました。

一八三二年、連合王国で国民代表法（改革法）が成立しました。チャールズ・グレイ（第二代グレイ伯爵。在任一八三〇―三四）内閣は、腐敗選挙区の廃止による政党の再編成を成し遂げます。ウィリアム四世（在位一八三〇―三七）も手助けしました。彼の名にちなむ紅茶アールグレイは有名です。

ギリシャの独立については英仏露のロンドン条約に基づき、翌年（一八三三年）、政治的に中立なバイエルンの王子がオソン一世（在位一八三三―六二）としてギリシャ国王に即位しました。ギリシャの文化財流出を防ぐための「記念物法」は一八三四年に施行されています。

また同じ年、カール・フォン・クラウゼヴィッツ（一七八〇―一八三一）の「戦争論」が遺著として刊行されました。これはマリー夫人の手によるものです。

一八三三年春にドイツ関税同盟条約が成立し、翌年よりドイツ関税同盟が発足する運びとなりました。これは、プロイセンが、オーストリアを除くドイツ連邦の全諸侯と自由都市に呼びかけたもので、経済学者、フリードリヒ・リスト（一七八九―一八四六）が提唱したものです。オーストリアに比較して近代化が進み、強国化しつつあったプロイセンによる関税同盟の提案は、ドイツという国家意識を高めるとともに、プロイセン主導のドイツの経済的統一を促すことになります。

葛飾北斎画「富嶽三十六景神奈川沖浪裏」

また夏に奴隷制度廃止法が成立し、連合王国の植民地における奴隷制度を違法としました（一八三四年八月より施行）。こうした連合王国の動きに危機感を抱いた、南アフリカの連合王国領ケープ植民地に住むボーア人（ネーデルラント系の人々は土着化してボーア人と呼ばれるようになりました）は、一八三四年、マカンダ（グラハムズタウン）会議において連合王国からの独立と内陸部への移住を決めました。

チャールズ・グレイ

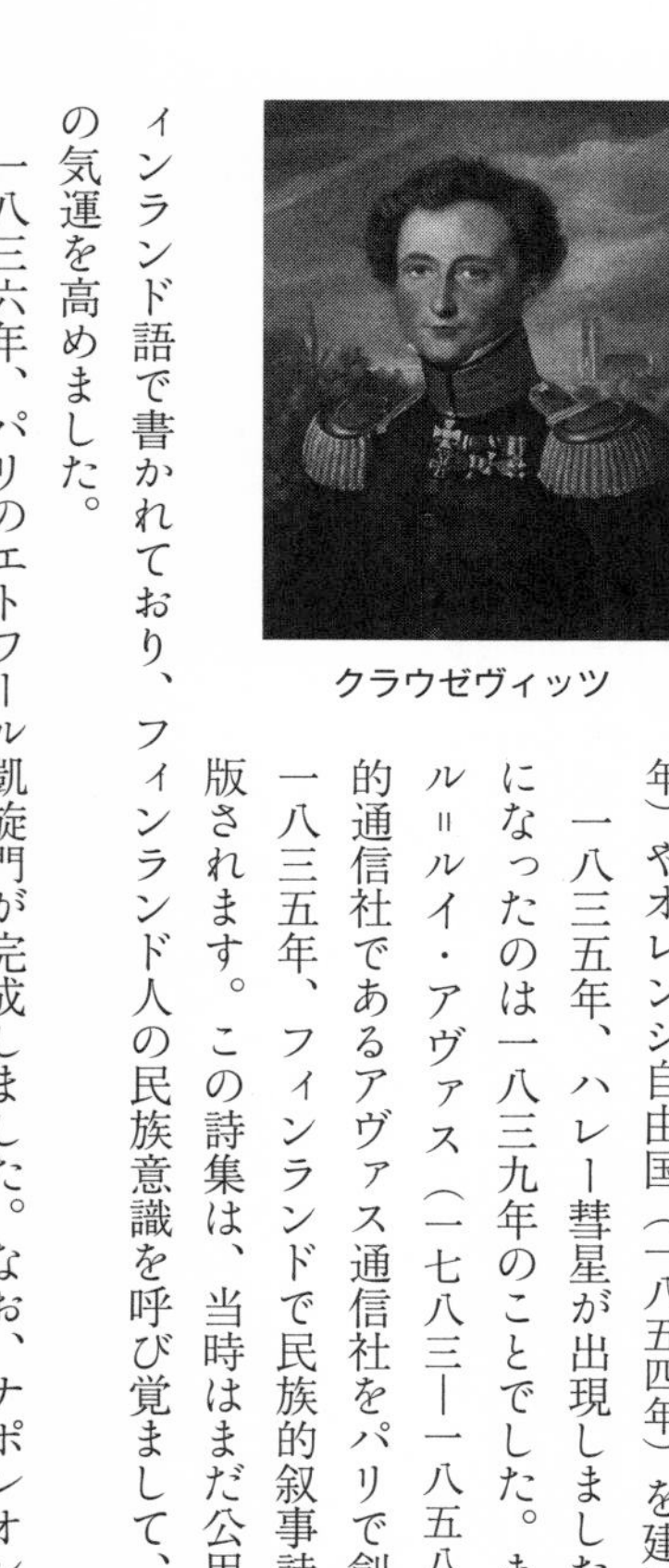
クラウゼヴィッツ

こうして始まったのが、グレート・トレックです。トレックとは牛に乗って旅をするという意味で、南アフリカでは牛に車を引かせて移動していたのです。北にはズールー王国という黒人国家がありました。ボーア人は一八三八年、血の川の戦いに勝利して、さらに北上していくことになります。やがて、ボーア人は奥地にトランスヴァール共和国（一八五二年）やオレンジ自由国（一八五四年）を建国しました。

一八三五年、ハレー彗星が出現しました。写真撮影が可能になったのは一八三九年のことでした。またこの年、シャルル＝ルイ・アヴァス（一七八三―一八五八）は世界初の近代的通信社であるアヴァス通信社をパリで創業しました。同じ一八三五年、フィンランドで民族的叙事詩「カレワラ」が出版されます。この詩集は、当時はまだ公用語ではなかったフィンランド語で書かれており、フィンランド人の民族意識を呼び覚まして、ロシアからの独立の気運を高めました。

一八三六年、パリのエトワール凱旋門が完成しました。なお、ナポレオン一世は、凱旋門が出来上がる前に死去しており、彼がこの門をくぐったのは、一八四〇年にパリに改葬された時でした。

新大陸ではアラモの戦い（アラモ伝道所）が行われました。攻めるメキシコ軍一六〇〇人に対してアメリカ軍は四〇〇人の劣勢で全員が死亡します。テキサスは、反乱の途中に独立宣言を出しました。

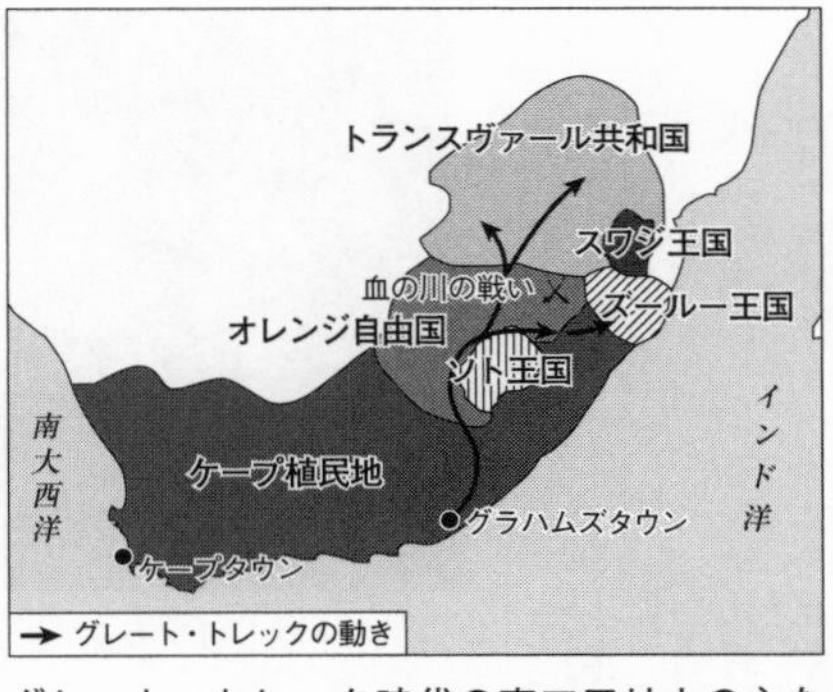

グレート・トレック時代の南アフリカの主な国々

†ヴィクトリア女王の治世が始まる

一八三七年、連合王国では、ヴィクトリア女王（在位一一九〇一）が即位し、ヴィクトリア時代が始まります。ハノーファーとの同君連合は終わります。それはハノーファー王国（一八一四年のウィーン会議で王国に昇格）が、サリカ法典により女性の継承権を認めていなかったからです。ヴィクトリア女王の夫君アルバート公（一八四〇年に結婚）もドイツ人でした。したがって連合王国のこの王朝に流れる血は、あいかわらずほとんどがドイツ人でした。

一八三八年、連合王国で人民憲章が公表され、選挙権の更なる拡大を訴えるチャーティスト運動（チャーティズム）が起こりました。その要求内容は、普通選挙の実現など六項目にまとめられ、以後この憲章（チャーター）の実現を期してチャーティスト運動が展開されることになりました。この運動もやはりフランス革命の影響を受けています。翌一九三九年以降三回にわたって請願しましたが、議会は取り上げなかったため一八四八年に運動は消滅しました。しかし普通選挙の実現など六項目は二〇世紀の前半までにすべて実現しました。

ヴィクトリア女王

一八三九年、パリでルイ・ジャック・マンデ・ダゲール（一七八七―一八五一）が世界初の実用的写真撮影法「ダゲレオタイプ」（銀板写真）を公表しました。銅板を銀メッキし、その上にヨウ化銀を塗布して感光性をもたせる技法で、水銀蒸気で現像します。直接金属板の表面に像を焼き付けて出来上がる写真は、複製不可能で、一枚限りの写真となります。

エジプト・トルコ戦争は、一八三一年～一八三三年と一八三九年～一八四〇年の二度にわたり争われたものです。主として争われたのはシリア問題でした。エジプトが個々の戦いでは圧倒しましたが、連合王国やロシア、オーストリアなどが仲介に入り、エジプトにはスーダンを

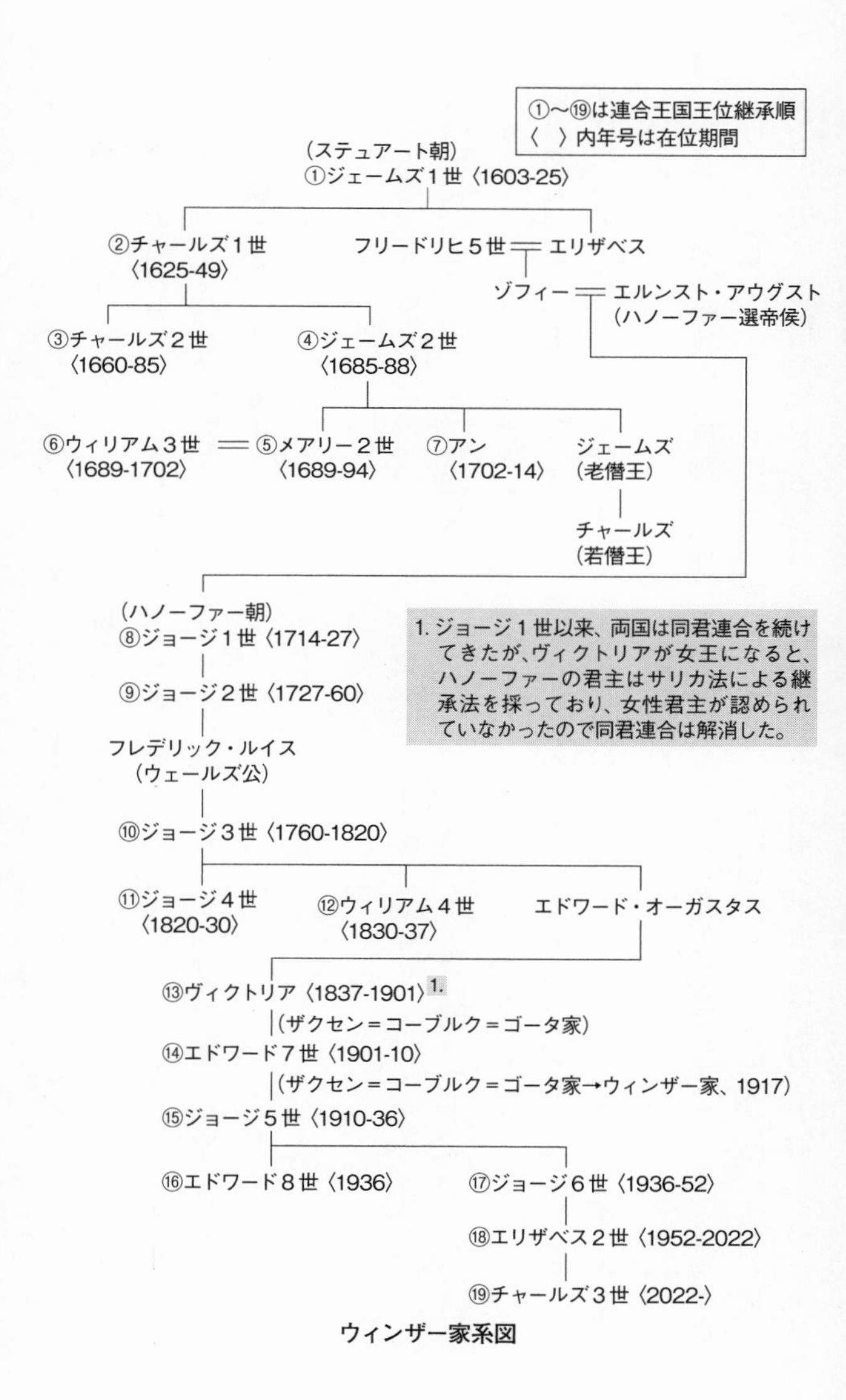
①〜⑲は連合王国王位継承順
〈　〉内年号は在位期間
（ステュアート朝）
①ジェームズ１世〈1603-25〉
②チャールズ１世
〈1625-49〉
フリードリヒ５世
エリザベス
ゾフィー
エルンスト・アウグスト
（ハノーファー選帝侯）
③チャールズ２世
〈1660-85〉
④ジェームズ２世
〈1685-88〉
⑥ウィリアム３世
〈1689-1702〉
⑤メアリー２世
〈1689-94〉
⑦アン
〈1702-14〉
ジェームズ
（老僭王）
チャールズ
（若僭王）
（ハノーファー朝）
⑧ジョージ１世〈1714-27〉
1. ジョージ１世以来、両国は同君連合を続けてきたが、ヴィクトリアが女王になると、ハノーファーの君主はサリカ法による継承法を採っており、女性君主が認められていなかったので同君連合は解消した。
⑨ジョージ２世〈1727-60〉
フレデリック・ルイス
（ウェールズ公）
⑩ジョージ３世〈1760-1820〉
⑪ジョージ４世
〈1820-30〉
⑫ウィリアム４世
〈1830-37〉
エドワード・オーガスタス
⑬ヴィクトリア〈1837-1901〉1.
（ザクセン＝コーブルク＝ゴータ家）
⑭エドワード７世〈1901-10〉
（ザクセン＝コーブルク＝ゴータ家→ウィンザー家、1917）
⑮ジョージ５世〈1910-36〉
⑯エドワード８世〈1936〉
⑰ジョージ６世〈1936-52〉
⑱エリザベス２世〈1952-2022〉
⑲チャールズ３世〈2022-〉

ウィンザー家系図

渡しシリアはオスマン帝国のままとすることが決まりました。そんな中、登極したアブデュルメジト一世（在位一八三九―六一）は、名外相、ムスタファ・レシト・パシャによって起草され、自らの名において発布されたギュルハネ勅令で、タンジマート（恩恵改革）の基本方針を示しました。これは神秘的とも見えるイスラーム国家トルコが、近代的法治国家、多民族国家へと変貌する第一歩でもありました。

†グレートゲーム

一八〇二年、タイの援助で、阮福暎（在位一八〇二―二〇。嘉隆帝）がベトナム全土を統一し越南阮朝が成立しました。黎朝後期（一五三三―一七八九）から西山朝（一七八八―一八〇二）にかけて、ベトナムでは内乱の時代が続きました。国家の統制がゆるんだため、ベトナムは海賊の格好の逃げ場となっていました。豊かな中国船を襲い、清の官憲に追われるとベトナムに逃げ込んでいたのです。海賊たちは、一八〇二年に阮朝がベトナムを統一すると、隠れ家を失いました。

一八一〇年、最後の大海賊・張保（一七八六―一八二二）が清に投降します。そして海軍武官になりました。こうして倭寇の王直から鄭成功へと続いてきた中国の大海賊（自由な海の民）の歴史は、張保で終わりました。当時の東シナ海や南シナ海には強力な火器を持つヨーロッパ船が来航し始め、海賊の時代はすでに終わっていたのです。

阮福暎は広南阮氏の出身で西山朝に挑むものの、いずれも失敗しました。苦節二十余年、ついにハノイに西山朝を滅ぼすと、フエに都を定め新王朝を開きました。

ナポレオン一世はマラーター同盟やアフガニスタンと連携して、連合王国の金のなる木、インドを狙おうとしました。それに対して連合王国はイランのガージャール朝と結んで対抗しました。ナポレオン一世の脅威が去ったあと、イランやアフガニスタンは、連合王国とユーラシア大陸を南下するロシアの「グレートゲーム」と呼ばれる策略と紛争の舞台になっていきます。

連合王国は、ナポレオン戦争の最中にナポレオン一世の弟がネーデルラント王になったことを奇貨として、かねて宿願であったマラッカ海峡やジャワ島を奪取します。さすがに火事場泥棒的な行為だったので、のちにマラッカとジャワは返還します。

一八一七年、インドのコルカタ（カルカッタ）から、世界初のコレラ大流行が起きました（—一八二三年）。この後パンデミックは七回起こりましたが、ロベルト・コッホ（一八四三—一九一〇）が一八八四年、コレラ菌を発見しコレラの世界的流行は終息します。

張保

一八一九年、トーマス・ラッフルズ（一七八一―一八二六）がジョホール王国の内紛に乗じてシンガポールを獲得し、開港しました。この開港は、いわば、アジアの海の動脈、マラッカ海峡の要衝を獲得したわけで、大きな経済的効果をもたらしました。このあたりで東アジアにおける連合王国とネーデルラントの力関係は、完全に入れ替ります。

ランジート・シング

一八一九年、シク王国のランジート・シング（在位一八〇一―三九）が、カシミール地方を占領しました。彼は「パンジャーブの虎」と呼ばれ、パンジャーブ地方のシク教徒の勢力を結集した後、一八〇一年にシク王国を創始しました。ドゥッラーニー朝が一七九九年にランジート・シングを名目上の行政長官として残したうえでカーブルに引き揚げたのです。彼は北西インド一帯に領土を拡げ、巧みな外交戦略で連合王国の植民地支配を寄せ付けなかった英雄です。

一八二〇年、清の道光帝（在位一八二〇―五〇）が第八代皇帝に即位します。武勇に優れており、皇子時代（一八一三年）、天理教徒の反乱（癸酉（きゆう）の変）時に紫禁城に踏み込んだ反乱軍を自ら討伐しています。

一八二三年、インドのアッサム地方でロバート・ブルースが野生茶樹を発見しました。味が濃厚でミルクティーとして飲まれることが多い紅茶です。

一八二四年、連合王国は、インドの東隣りのミャンマー（ビルマ）と、アッサムの領有を巡り三次にわたって戦争を始め、ねばり強くミャンマーを討ち、一八八六年にはインドにミャンマーを併合しました。

†アヘン戦争

このころ、連合王国では中国からのお茶の輸入が急増していました。一八世紀の間に四〇〇倍になっています。工場労働者に紅茶を飲ませたことが主因ですが、アフタヌーン・ティーなど紅茶をたしなむ風習も広く社会全般に浸透していきました。問題は、連合王国から清に対して、お茶の輸入量に見合う輸出品がなかったことです。

連合王国と清の貿易

中国と貿易していた東インド会社から、国際通貨である銀が中国へ大量に流出していきます。赤字は増大するばかりでした。

ただ、東インド会社には、ひとつの目玉商品がありました。麻薬であるアヘンです。清は、一七九六

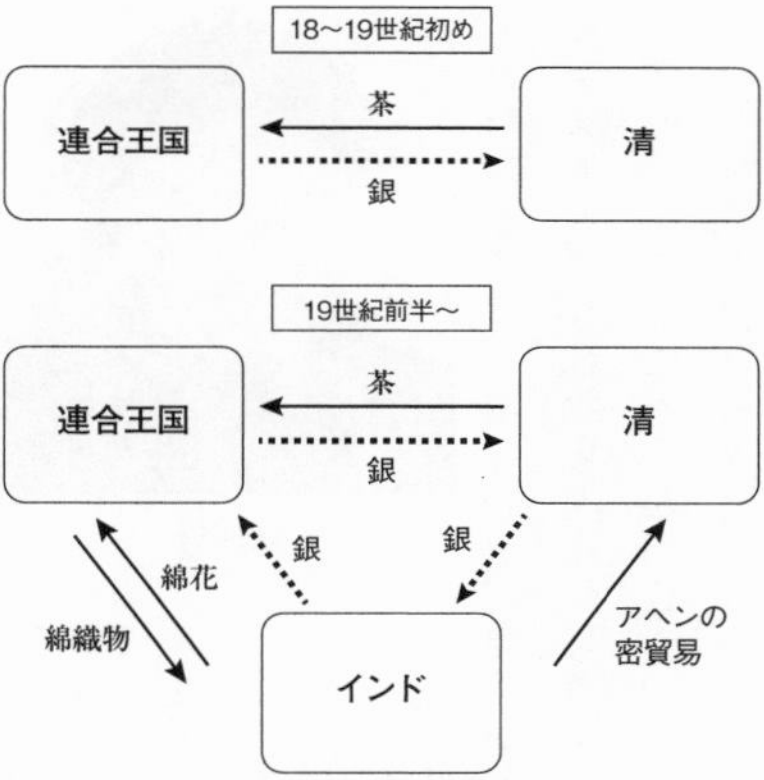

林則徐

年以後、何度もアヘン禁止令を出します。しかしアヘン吸引の悪習は止まず、禁止令が出るたびに賄賂（わいろ）が横行して、アヘンの密輸入はずっと続いていました。

このアヘンは、東インド会社が一七七〇年代から密かにベンガル地方で栽培していたものです。これを、カントリー・トレーダーという商人に卸売りしました。彼らがそのアヘンを清に密売していたのです。このことを、東インド会社は隠していました。清に露見して、肝心のお茶の貿易をストップされたら困るからです。

アヘン禁止令にもかかわらず、アヘンの密輸入量が増え続けた結果、（一九世紀初頭からアヘン戦争前夜まで約一〇倍）、一八二七年からは貿易収支が逆転して、清から銀が流出し始めます。地丁銀制の清では、銀で納税していたので、庶民がふだん使っている銅銭を銀に換算する必要がありました。したがって銀の不足（流出）によって銀が二倍に高騰すると、税金も自動的に二倍に上がってしまうのです。事実、乾隆帝時代には銀一両（約三七グラム）は銅銭七〇〇―八〇〇文だったのが、一八三〇年になると、一二〇〇文となり、一八三〇年代末には最大で二〇〇〇文に達しました。

この状況にたまりかねた道光帝は、誠実で有能な林則徐（一七八五―一八五〇）を一八三八年、欽差大臣（皇帝の全権委任を得て対処する臨時の官）に任命して、広州に派遣します。林則徐は期待に応えます。連合王国や東インド会社、そしてアヘンのことなどを文献を収集して深く学習した彼は、アヘンを強制的に没収して化学処分を行います。総量一四〇〇トン、一八三九年の事でした。

アヘン戦争

連合王国議会はこれに抗議して中国出兵を決議しました。しかし、この出兵については、のちに首相となるウィリアム・グラッドストン（在任一八六八―七四、八〇―八五、八六、九二―九四）を始めとして、不義の戦争だとする良識ある反対意見も多く、賛成二七一票と反対二六二票のわずか九票差の決議となりました。外相ヘンリー・ジョン・テンプル（第三代パーマストン子爵）が音頭を取り、こうして一八四〇年にアヘン戦争が始まりました。

連合王国の艦隊は、林則徐が防御を固めていた広州を避けて、北京の外港、天津に向かいます。驚いた道光帝は林則徐を罷免して収束を図ります。一八四二年には南京条約が結ばれて、アヘン戦争は終結しました。

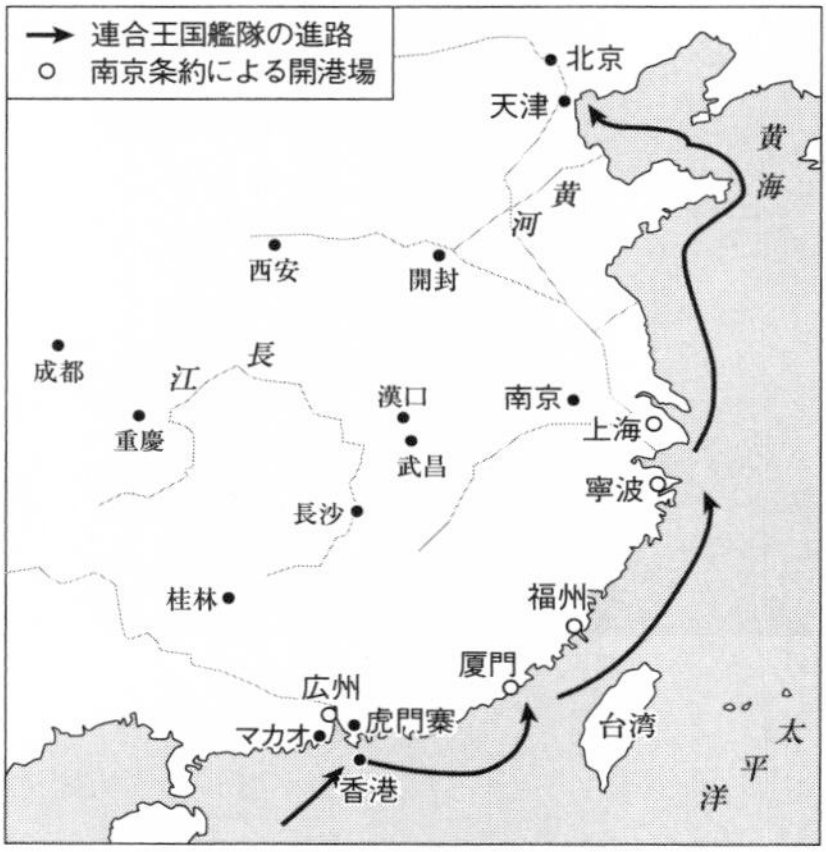

アヘン戦争と南京条約

南京条約では多額の賠償金と香港の割譲、そして自由貿易が認められ（一部の貿易商による独占貿易に限る「公行」制度は廃止）、従来の広州を含めた五港（厦門、寧波、福州、上海）の開港が定められました。ところがこの条約には、アヘンのことは一言も触れられていません。連合王国にとっては不名誉なことですから、書きたくなかったのでしょう。

しかし条約で触れなかったということは、アヘンについては何も変わらなかったわけで、アヘンの輸入量は増え続け、一八八八年にピークを迎えます。南京条約からさらに四〇年にわたって中国を蝕んでいくのです。連合王国は翌一八四三年に、さらに虎門寨追加条約を結び、領事裁判権を認めさせたうえ、関税自主権を放棄させ、当事者の片方だけが義務を負う片務的最恵国待遇を実現します。こうして中国は、連合王国の植民地のようになっていきます。

林則徐は新疆に左遷されました。しかし、ロシア帝国の脅威を実見できた事は大きな収穫となり、これが後の塞防派（国防の重点を海辺でなく内陸に置く政策）を形作ることになったのです。

林則徐の友人、魏源（一七九四―一八五七）は、林則徐が収集した文献をベースに「海国図志」を著し、警鐘を鳴らします。海国図志は、幕末の日本人が、東漸する西洋を学ぶ際の格好の教材となりました。

フランスなどヨーロッパの列強やアメリカは、清が連合王国に敗れ、不平等条約を結んだのを見て後に続きます。アヘン戦争以前は一国で常に世界のGDPシェアの二〇―三〇％以上を占めていた中国は、坂道を転がり落ちるように衰退に向かいます。

続いて連合王国は一八四五年に、清に上海租地章程を公布させます。これは上海の一区画を列強に提供して、行政権や治外法権を認めるものです。こうして上海租界（共同租界とフランス租界）が誕生し、東アジアの交易センターとして発展していきます。なお、租界とは外国人居留地を指します。

†ビーダーマイヤーの時代

ドゥッラーニー朝が一八一八年に統一を失った後、アフガニスタンではバーラクザイ朝（一八二六―一九七三）が勢力を伸ばしつつありました。不安を抱いた連合王国は、一八三八年、開戦に踏み切りましたが、一八四二年、連合王国軍は全滅します。連合王国は休戦を選びました（第一次アフガン戦争）。バーラクザイ朝の創始者ドースト・ムハンマド・ハーンは、連合王国に逮捕、追放されますが、無事に帰国できました。

一八三九年、シク王国を建国したランジート・シングが死亡すると内部は混乱し、一八四五年─四六年の第一次シク戦争でシク王国は敗北しました。シク王国はラホール条約によって、カシミールやパンジャーブの東半分を連合王国に奪われます。さらに連合王国の支配に反発した民衆は反乱を起こし、一八四八年には第二次シク戦争が勃発しました。これも一八四九年にはシク側の敗北に終わり、シク王国は滅びました。こうして東インド会社は、インドのすべてを領有してしまったのです。

どうして何度にもわたり戦争をするのか。先にも少し述べましたが、実はたいへんにずるいというか、戦術が巧妙なのです。まず最初にガツンと激しく相手を叩きます。相手が必死に抵抗し始めて、こちらも被害が半端じゃなくなると思ったら、有利な条件で平和条約を結ぶ。これが最初の戦争です。そして平和条約で相手が一息ついている隙に、分断工作を行う。それから内紛に乗じて次の戦争を仕掛けるのです。これでも相手が倒れなかったら、三回目、四回目と次の方法を考える。あまり無理をしない。自分を傷つけない。相手を分裂させていく。こういう戦法で順次、大国インドを奪ってしまいました。

産業革命で真っ先に近代化を果たし、しかも巧妙な戦術を持つ連合王国が、アジアの大国の幕引き役を担うことになるのです。

ビーダーマイヤー（小市民主義）の時代は、広く取れば、ウィーン体制から一八四八年革命までの期間となりますが、一八三〇年代あたりまでという捉え方もあります。王政復古によりその夢が破れ、メッテルニヒによるカールスバート決議などによる検閲強化により再び自由の利かない閉塞的な社会に戻ってしまった。そのような諦念のムードがある気がします。しかし、マグマは確実にたまっていきました。

一八四五年、ヨーロッパでジャガイモ飢饉が発生し、特にアイルランドで深刻な被害が出ました。

また同年、アメリカがテキサス共和国を併合します。ジョン・オサリヴァン（一八一三―九五）が「マニフェスト・デスティニー」（明白なる使命）の表現でこの併合を鼓舞しました。

一八四六年、連合王国で穀物法は廃止されました。穀物法は他国の安い穀物が連合王国に入ってこないようにする法律です。一八一五年、穀物法が出来た当初はそうでした。それをロバート・ピール内閣（在任一八三四―三五、四一―四六）が廃止したということは、保護貿易より自由貿易を選んだということです。世界の海と産業を支配すれば、貿易に障害を設ける必要はなくなります。連合王国の覇権（パクス・ブリタニカ）は、ピークに近付いていたのです。ま

マニフェスト・デスティニー。1872年に描かれた「アメリカの進歩」ジョン・ギャスト画

さに自由貿易帝国主義の時代が到来しようとしていました。

同じ年、テキサスの帰属をめぐり、米墨（べいぼく）戦争（墨はメキシコ合衆国）が起こります。一八四八年、二年間続いた戦争で「マニフェスト・デスティニー」は証明されたかのようです。メキシコは三分の一を超える領土を失い、アメリカは夢のカリフォルニアなどを得ました。

またアゼルバイジャンのバクー油田が初めて開削されました。

一八四七年、アメリカ植民地協会の支援により、リベリアが西アフリカ胡椒海岸地帯で独立しました。リベリアはアフリカで現存している国ではエチオピアについで古い国です。

1	デラウェア州	17	オハイオ州	33	オレゴン州
2	ペンシルベニア州	18	ルイジアナ州	34	カンザス州
3	ニュージャージー州	19	インディアナ州	35	ウェストバージニア州
4	ジョージア州	20	ミシシッピ州	36	ネバダ州
5	コネティカット州	21	イリノイ州	37	ネブラスカ州
6	マサチューセッツ州	22	アラバマ州	38	コロラド州
7	メリーランド州	23	メイン州	39	ノースダコタ州
8	サウスカロライナ州	24	ミズーリ州	40	サウスダコタ州
9	ニューハンプシャー州	25	アーカンソー州	41	モンタナ州
10	バージニア州	26	ミシガン州	42	ワシントン州
11	ニューヨーク州	27	フロリダ州	43	アイダホ州
12	ノースカロライナ州	28	テキサス州	44	ワイオミング州
13	ロードアイランド州	29	アイオワ州	45	ユタ州
14	バーモント州	30	ウィスコンシン州	46	オクラホマ州
15	ケンタッキー州	31	カリフォルニア州	47	ニューメキシコ州
16	テネシー州	32	ミネソタ州	48	アリゾナ州

アメリカの領土拡大

†一八四八年のヨーロッパ革命、「諸国民の春」

一八四八年、ヨーロッパで「諸国民の春」と呼ばれる一連の動きがありました。ウィーン体制の崩壊を招いた革命が次々と起こったのです。

一八四八年一月、シチリアのパレルモで暴動が起こり、両シチリア王国からの分離独立と憲法制定が要求され（シチリア革命。五月に鎮圧）、これを第一波として革命がイタリア各地に波及しました。三月には、ロンバルディアとヴェネツィアの民衆

米墨戦争におけるベラクルス包囲戦

が反乱を起こし、サルデーニャ王カルロ・アルベルト（在位一八三一―四九）に介入を要請、カルロ・アルベルトは三月、さっそくオーストリアを相手に第一次イタリア独立戦争に乗り出しました。

しかしオーストリアの陸軍元帥ヨーゼフ・ラデツキー（一七六六―一八五八）がクストーツァの戦い（七月）、ノヴァーラの戦い（一八四九年三月）を制し、カルロ・アルベルトはポルトガルに亡命しました。イタリア北部は再びウィーン体制の通り、ロンバルド＝ヴェネト王国（一八一五―六六）のものとなりました（実質的にはオーストリアが支配）。

パリでは、ジャガイモ飢饉の影響でジャガイモの値段は四倍、小麦の値段が二倍になり、パンの値段は暴騰して市民生活を圧迫しました。改革宴会という政権批判を目的に集まった市民が暴徒化し、二月革命が起きました。二月二二日の事です。二三日は反動政治を担っていた首相のフランソワ・ピエール・ギョーム・ギゾー（在任一八四七―四八）が辞任し、二四日は、国王ルイ・フィリップ

二月革命（パリ）

が退位して連合王国に亡命しました。同日、臨時政府が出来上がりました。

これまでのブルジョワジー主体の市民革命からプロレタリアート主体へと転化したことが大きいと言われています。

近代抒情詩の祖、アルフォンス・ド・ラマルティーヌ（一七九〇―一八六九）は二五日、パリ市庁舎において第二共和政を宣言しました。臨時政府は、成人男子選挙制、生存権・労働権・団結権などの諸権利を承認した他、言論の自由や出版の自由を保障しました。

三月二日、成人男子選挙制の布告が出されました。四月二三日の国政選挙の結果、八八〇議席中六六〇議席を穏健共和派が占め、科学者として有能なフランソワ・アラゴ（一七八六―一八五三）など五人の執行委員会が樹立されました。これ以降、革命を前進させようとするプロレタリアートと、革命を終息させようとするブルジョワとの階級対立が先鋭化していきます。

六月、社会主義者、ルイ・ブラン（一八一一―八二）が設立に参加した国立作業場が四カ月で閉鎖されたことを契機に、パリの労働者が大規模な武装蜂起を起こしました。これがいわゆる六月蜂起（六月二三日―二六日）です。

軍人、ルイ・ウジェーヌ・カヴェニャック（一八〇二―五七）が六月蜂起を鎮圧します。その後、同一八四八年フランス大統領選挙まで暫定の政府主席をカヴェニャックが務めました。一二月、ナポレオン三世（在位一八五二―七〇）が第二共和政の大統領になります。立候補したカヴェニャックは大敗しました。

六月蜂起

この二月革命は、オーストリアやドイツに飛び火しました。ウィーンとベルリンで三月革命が起こります。一八四八年三月、メッテルニヒが連合王国に亡命し、ウィーン体制が崩壊します（ウィーン三月革命）。フェルディナント一世（在位一八三五―四八）は、病弱でしたが馬車に乗って検閲の廃止や出版の自由を約束して回りウィーンの民衆から歓呼の声で迎えられました。しかしウィーンの革命運動も次第に先鋭化していき、皇帝は五月―八月ウィーンをのがれインスブルックに避難、また一〇月にはチェコのオロモウツに避難、万策つきた皇帝は退位を受け入れました。一二月にフランツ・ヨーゼフ一世（在位一八四八―一九一六）が即位します。

チェコではフランティシェク・パラツキー（一七九八―一八七六）が六月にプラハで、第一回汎スラヴ会議を開催しました。ハンガリーでは、三月のペスト（ブダペストの一部）蜂起を経て改革が進みそうになったものの、フランスで六月蜂起（六月暴動）が失敗すると、各地の自由主義運動は衰退に向かいました。

メッテルニヒの退陣を描いた風刺画

コシュート・ラヨシュ（一八〇二―一八九四）が、一八四九年、ハンガリー独立運動を起こします。オーストリアのフランツ・ヨーゼフ一世は、ロシア軍を引き入れて独立運動を鎮圧しました。このロシア軍の介入は、二〇世紀のハンガリー動乱やプラハの春におけるソ連軍の介入を連想させます。コシュートは、トリノで死去しました。

ベルリンでは一八四八年三月六日、最初の暴動が起こり、三月革命が始まりました。三月一八日、ベルリン王宮前に押しかけられた国王フリードリヒ・ヴィル

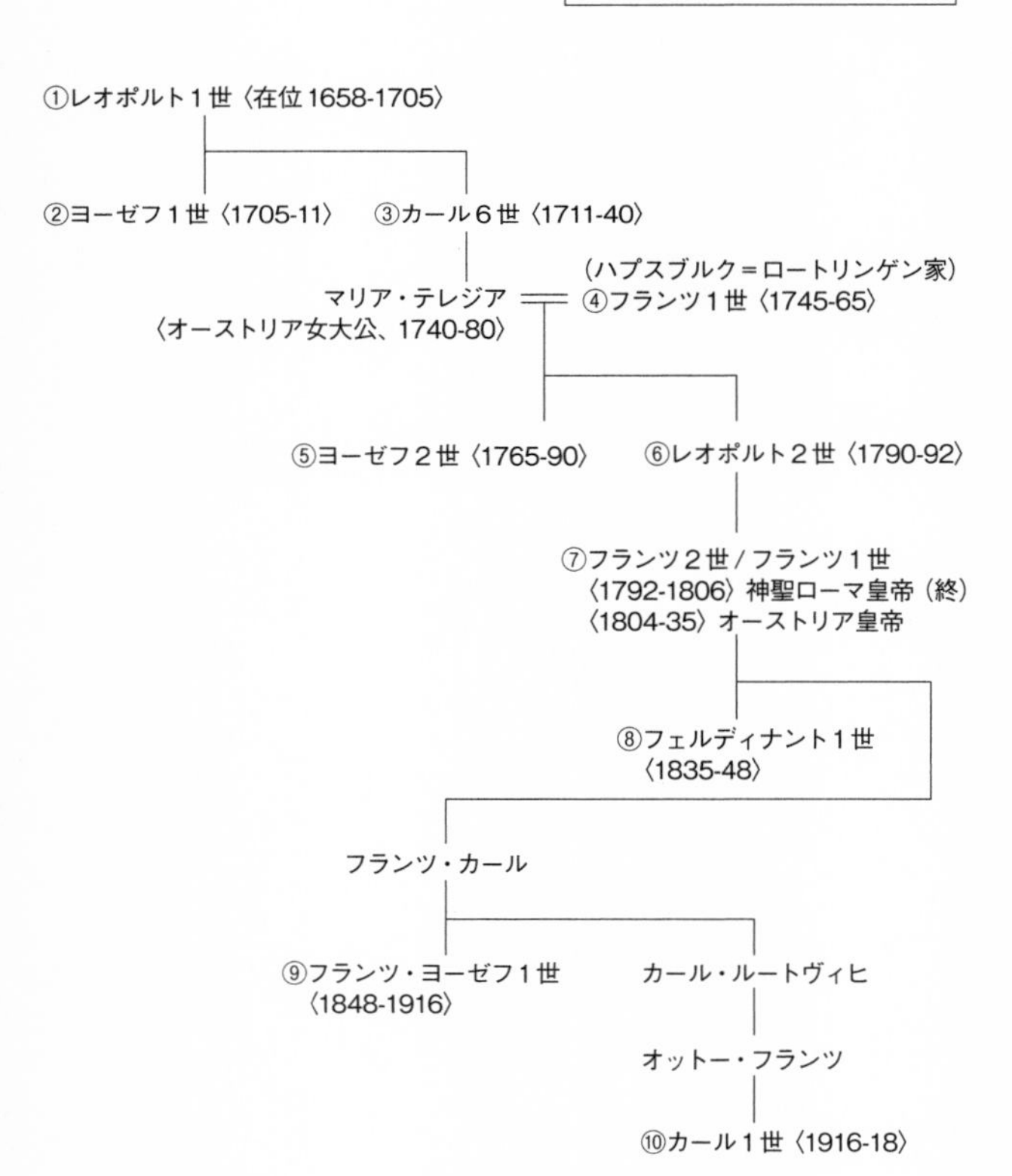
①〜⑦は神聖ローマ皇帝継承順
⑦〜⑩はオーストリア皇帝継承順
〈　〉内年号は在位期間
①レオポルト１世〈在位1658-1705〉
②ヨーゼフ１世〈1705-11〉
③カール６世〈1711-40〉
マリア・テレジア
〈オーストリア女大公、1740-80〉
（ハプスブルク＝ロートリンゲン家）
④フランツ１世〈1745-65〉
⑤ヨーゼフ２世〈1765-90〉
⑥レオポルト２世〈1790-92〉
⑦フランツ２世／フランツ１世
〈1792-1806〉神聖ローマ皇帝（終）
〈1804-35〉オーストリア皇帝
⑧フェルディナント１世
〈1835-48〉
フランツ・カール
⑨フランツ・ヨーゼフ１世
〈1848-1916〉
カール・ルートヴィヒ
オットー・フランツ
⑩カール１世〈1916-18〉

ハプスブルク家系図

ベルリン三月革命

ヘルム四世（在位一八四〇―六一）は、連合州議会の召集、憲法、出版の自由を含むデモ隊の全要求に譲歩する勅令を発します。しかし、二発の銃声が鳴り、結果的には数百人の死者を出すこととなりました。三月二二日にベルリンで市街戦で犠牲となった市民二五四人のために集団葬儀が行われ、国王も死者に頭を下げました。三月二九日、新首相にルドルフ・カンプハウゼンが任命されます。

五月一八日、フランクフルト国民議会が召集されましたが、選ばれた議員は、ドイツ連邦の三九の地域（三五君主国と四自由都市）全域から来ており、意見をまとめるのは至難の業でした。六月一四日のベルリン兵器庫襲撃によりカンプハウゼン内閣が退陣した後、アウエルスヴァルト＝ハンゼマン内閣、プフェル内閣、ブランデンブルク内閣

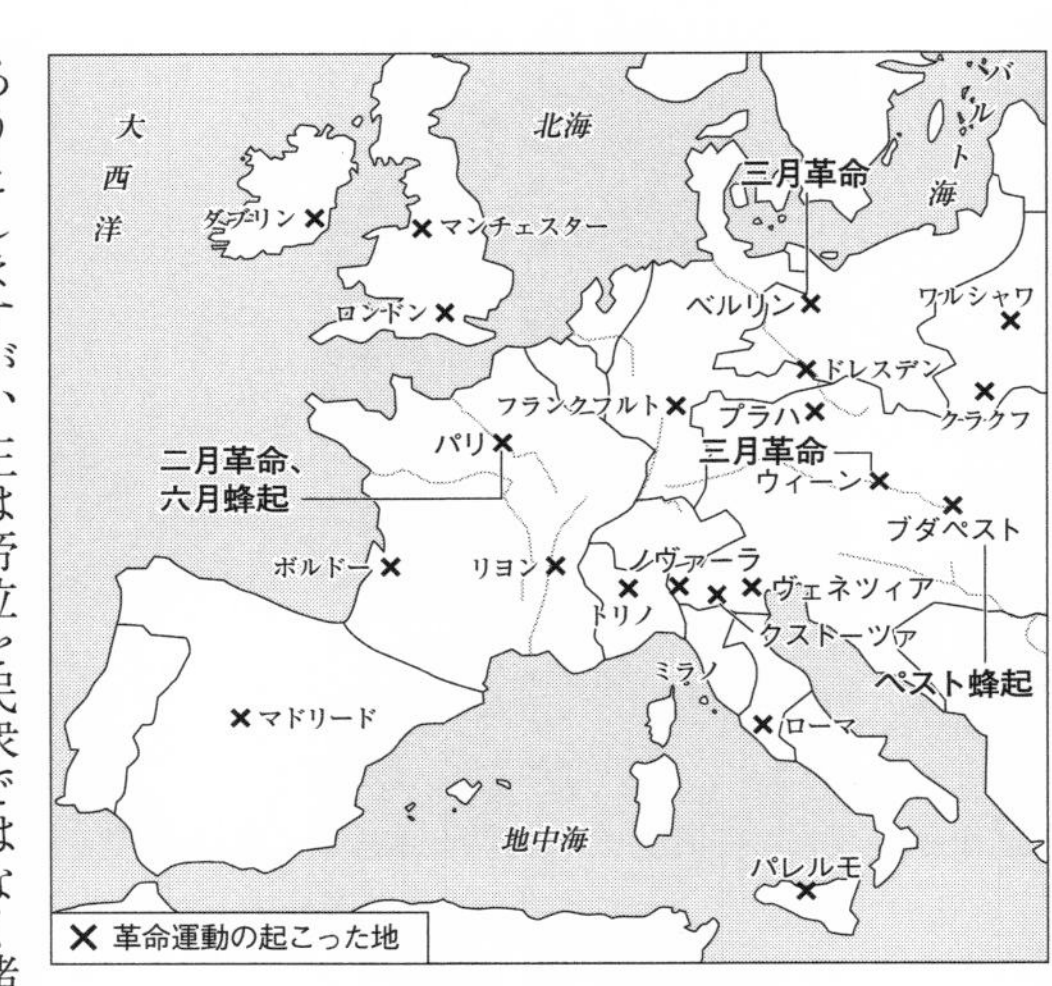

1848年のヨーロッパ

へと相次いで政府が交代しました。国王フリードリヒ・ヴィルヘルム四世の叔父のブランデンブルク首相が一一月二日に職務についてようやく落ち着きます。秋口から国王はすぐさま、民主主義的勢力を弱体化する旧勢力に復帰し、欽定憲法を一二月に成立させました。なお、欽定憲法ではありましたが、言論・集会の自由、司法の独立、三級選挙（納税額に基づいて選挙権を三段階に分けるもの）などは保障されており、一九一八年のドイツ革命まで効力を保ちました。

一八四九年、フランクフルト国民議会は、プロイセン国王に「ドイツ皇帝」の称号を贈ろうとしますが、王は帝位を民衆ではなく諸侯の協議によって決められるものと考えており、戴冠を拒否しました。

一八四七年にはロンドンでカール・マルクス（一八一八―一八八三）とフリードリヒ・エンゲル

ス（一八二〇—九五）によって「共産主義者同盟」が生まれます。一八四八年には「共産党宣言」が出されます。産業革命によって連合王国では労働者階級が大きな存在になり始めていました。

マルクスはプロイセンでペンの力で闘いますが、時に利あらず、一八四九年八月ついにロンドンに亡命者の道を選ぶことになりました。マルクス同様夢破れた人々は新大陸に向いました。彼らのことをフォーティエイターズと呼んでいます。

マルクス

一八四八年は米墨戦争終結に伴うグアダルーペ・イダルゴ条約が結ばれた年です。メキシコはアメリカにカリフォルニア、ネバダ、ユタ、ニューメキシコその他の領土を割譲しました。そのカリフォルニアで金鉱発見、ゴールドラッシュが沸き起こりました。ちなみにゴールドラッシュという言葉が現れたのは一八七〇年代半ば以降です。

一八五〇年、プロイセンは、統一国家樹立の動きが見られたものの時期尚早として、チェコの都市のオロモウツ（オルミュッツ）協定を結びました。相手は、オーストリアとロシアで、事実上、小ドイツ主義に基づくドイツ統一を断念することが確認されました。「オルミュッツの屈辱」とも称されます。

フォーティエイターズ（ハンブルク港でニューヨーク行きの汽船に乗り込むドイツ人移民）

†ナポレオン三世の登極

一八四八年の二月革命を受けて、フランスでは世界初の男子普通選挙によって大統領が選ばれました。選ばれたのは、当初は泡沫候補とみなされていたルイ・ナポレオンです。彼はナポレオン一世の甥で、二度も一揆を起こして連合王国に亡命していました。ナポレオン一世の時代から三〇年以上の歳月が経過して、あの偉大な英雄についての輝かしい記憶だけが残っていたのでしょう。

ルイ・ナポレオンは、ナポレオン一世のいわば天敵であった連合王国に好意を持っていました。国民主権と帝政とアンリ・ド・サン＝シモン（一七六〇―一八二五）の空想的社会主義を同時に信奉する不思議な人物でした。

ルイ・ナポレオンは自分に寄せられている人気を背景に、一八五一年にクーデターを敢行しました。そしてその翌年に国民投票を行い、皇帝ナポレオン三世（在位一八五二―七〇）として即位しました（ナポレオン一世の嫡子である長男ナポレオン二世＝ライヒシュタット公は一八三二年病没）。第二帝政の始まりです。ナポレオン三世は富国強兵を目指して産業革命を推進しました。一八五二年、ペレール兄弟などがクレディ・モビリエ（パリ不動産銀行）を創設して産業金融を開き、同年、世界初の百貨店としてパリのボン・マルシェが開業します。またカミッロ・カヴールがサルデーニャ王国の首相（在任一八五二―五九、六〇―六一）になりました。

ナポレオン３世

カミッロ・カヴール

　同じ年、ハリエット・ビーチャー・ストウ（一八一一―一九六）が「アンクル・トムの小屋」を発表しました。

†クリミア戦争

　一八五三年、クリミア戦争が始まりました。黒海からの南下政策を取るロシアと、それを阻止したい老大国オスマン朝と支援する連合王国・フランス・サルデーニャ王国との間で争われた戦争です。ここでウィーン体制が終わりを告げました。連合王国・フランスとロシアで利害の対立が起こったの

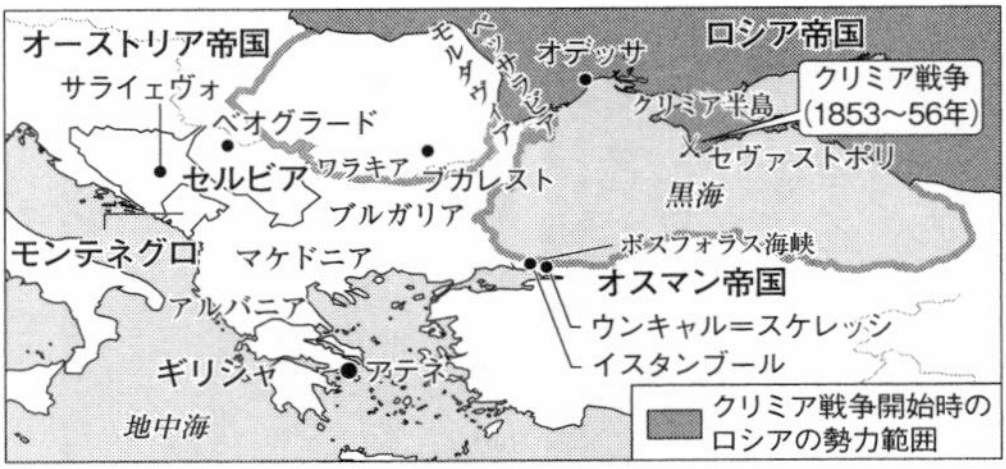

クリミア戦争と黒海周辺

です。カミッロ・カヴールは、イタリア統一のためには英仏の支援が不可欠と考えて参戦しました。

戦いはロシア艦隊の基地があるクリミア半島のセヴァストポリ要塞の攻防を中心に行われました。一八五六年にパリ条約が結ばれて終結しますが、その内容は黒海の中立化とオスマン朝の領土保全でした。戦争中、連合軍に好意を示したクリミアのタタール人は戦後追われてオスマン朝に逃げ込み、その跡にロシア人が入植しクリミア半島はロシア人の国になりました。

この条約の意味するところは、ロシアの黒海独占とオスマン朝の領土切り取りは許さない、ということです。

クリミア戦争は近代戦の幕開けともいわれており、ジャーナリズムに煽られた世論が戦争を引き起こし、また勝敗を決したのは戦場鉄道でした（物量戦）。苛烈な戦いの犠牲者は七五万人を超えたと推計されています。

クリミア戦争に参加した連合王国の看護師フローレンス・ナイチンゲール（一八二〇―一九一〇）の活動は赤十字の誕生につながりました。

クリミア戦争（セヴァストポリ包囲戦）

また、ロシアの医師ニコライ・ピロゴフ（一八一〇—一八八一）は、トリアージ（患者の選別）をセヴァストポリで実現しました。

クリミア戦争にかかわる有名なエピソードが二つあります。ドイツ人のハインリヒ・シュリーマン（一八二二—一八九〇）は、ロシアに武器を売却して財産を築き、それをミケーネやトロイアの遺跡の発掘に注ぎ込んで世界に名前を残しました。そして、父の兵器生産工場を手伝っていたスウェーデンのアルフレッド・ノーベル（一八三三—一八九六）は、一八六六年にダイナマイトを発明しました。ダイナマイトで稼いだお金がノーベル賞の基金になったのは有名な話です。授賞は一九〇一年から始まりました。

ジョルジュ・オスマン

†オスマンのパリ

一八五三年にはパリのあるセーヌ県の知事にジョルジュ・オスマン（一八〇九―九一）が任命されて、新しいパリづくりが始まりました（一八七〇年までセーヌ県知事）。

オスマンは、パリを美しい都にしようと考えました。そして建物の高さを一定にする、色や形態を同じようにする、道を放射状につくる、広場をつくる、などの大改造計画を果断に実行しました。有名なパリの凱旋門はルーヴル宮殿へとまっすぐにつながっています（パリの歴史軸。ラ・デファンスのグランダルシュ＝新凱旋門もこの一直線上にあります）。フランス革命は、自然の秩序を重んじましたが、その合理的な精神が図形的な秩序ある美しさの追求につながり、オスマンのパリ大改造計画にも生かされたのです。

そして、一八五三年、欧州にクリミア戦争が勃発した時に黒船来航があったのです（後述）。ナポレオン三世は植民地の拡大に意欲的で、一八五四年には、ルイ・フェデルブ（一八一八―八九）をセネガル総督に任命、期待に応えたフェデルブはフランス領西アフリカ（現在のセネガル、マリ、ニジェールなど八地域）の基礎を築きました。

一八五五年にナポレオン三世は、パリ万国博覧会（国際博覧会）を開催しました。このとき

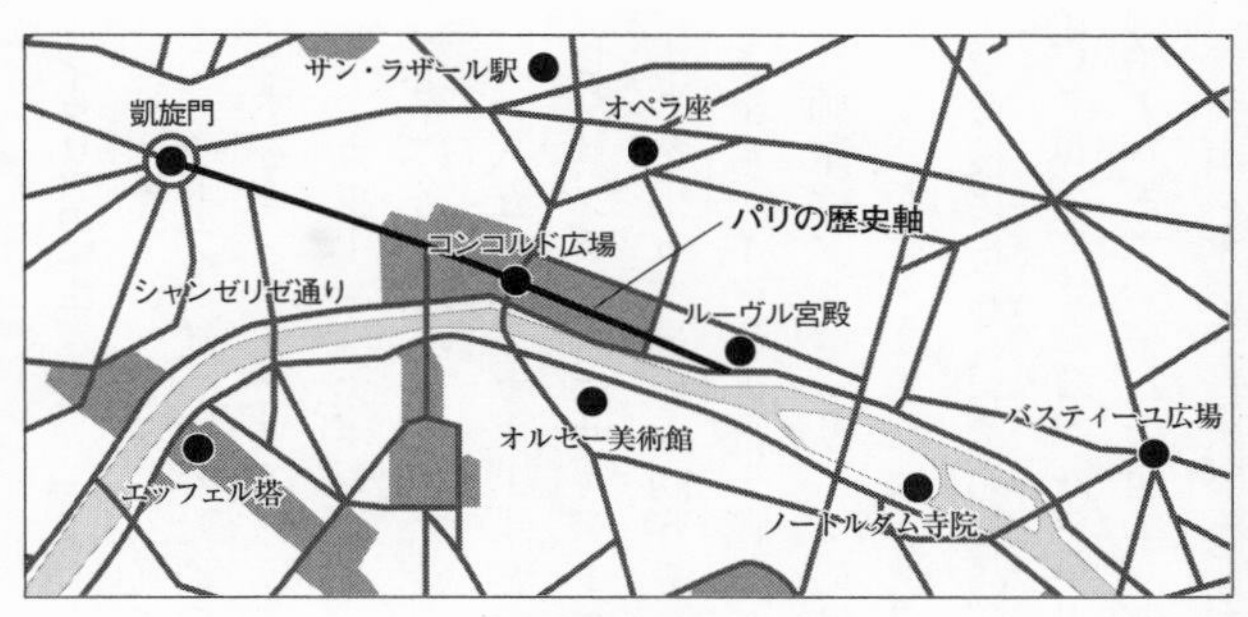

パリの歴史軸

彼は外国からの訪問客をもてなすために、初めてボルドーワインの格付けを行いました。一八五一年のロンドン万国博覧会ではアメリカスカップを賭けたヨットレースが生まれています。世界最古のスポーツトロフィーとして有名です。ナポレオン三世は、一八六七年にもパリ博覧会（日本が初参加）を開いています。

一八五六年、オスマン帝国のアブデュルメジト一世が帝国のさらなる改革を目的として改革勅令を出しました。クリミア戦争末期に出されたものです。また新たな宮殿を造営させ、オスマン宮廷がトプカプ宮殿からこのドルマバフチェ宮殿に移されました。

一八五八年、ナポレオン三世は暗殺未遂事件に襲われました。場所はパリのオペラ座で皇帝は軽傷でした。犯人はイタリアの伯爵でかつての同志、フェリーチェ・オルシーニ（一八一九―五八）で、イタリア問題にナポレオン三世が冷淡であることに義憤を感じて犯行に及んだものです。

†イタリアの誕生

イタリアを統一するための最大の課題は、オーストリアからヴェネツィアと、ミラノを中心とするロンバルディアを奪還することでした。そのためにはオーストリアと戦わねばなりません。カヴールはナポレオン三世との同盟を考えます。そこでサルデーニャの貴婦人をパリの社交界に送り込みました。

一八五八年、カヴールとナポレオン三世は保養地で密会し、プロンビエール密約を交わしました。フランスはサルデーニャのイタリア統一戦争を援助する、その代わりにサヴォイアとニースを得る、という内容でした。こうして両国は一八五九年、オーストリアに対して戦端を開きます。イタリア統一戦争が開始されました。

両軍はソルフェリーノの戦いに臨みます。結果は、フランス・サルデーニャ連合軍の勝利でした。ちなみにこれは、世界戦史上、すべての交戦当事国の君主が親征に出て軍を指揮した中で最後に行われた主な戦闘としても知られています。アンリ・デュナン（一八二八―一九一〇）は、たまたまソルフェリーノの戦いに遭遇し強烈な印象を受けました。赤十字はここから始まります。一八六四年、デュナンの活躍によって赤十字国際委員会が創設されました。

ナポレオン三世はバランス感覚が鋭く、サルデーニャがこのまま強くなりすぎることを警戒しました。そしてヴィッラフランカの和約を単独で結んで、ロンバルディアはサルデーニャ領に、ヴェネツィアはオーストリア領に、と決め、手を引いてしまいました。カヴールは立腹しましたが、おおっぴらに怒ることもできず、しぶしぶ講和を追認しました。サヴォイアとニースの割譲はなしになり、カヴールは辞任します。ところが、パルマやモデナ、トスカーナなどの中小国がイタリアへの合併を表明します。あわてたヴィットーリオ・エマヌエーレ二世（在位一八四九―七八）はカヴールを首相に再登板させナポレオン三世と交渉させます。ナポレオン三世は、サヴォイアとニースの割譲を条件に、中小国の併合を承認しました。一八六〇年のことでした。

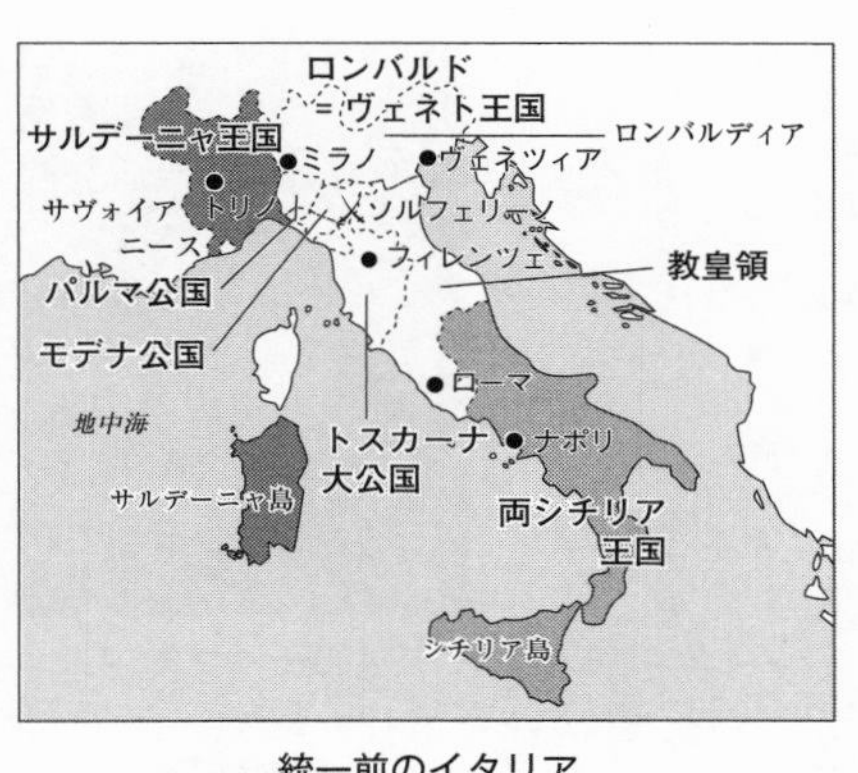

統一前のイタリア

一八五九年、スエズ運河会社による運河の建設がはじまりました。フェルディナン・ド・レセップス（一八〇五―九四）が完成まで一〇年にわたり執念を見せます。同じ年、ウェストミンスター宮殿（連合王国国会議事堂）の大時計台ビッグ・ベン（エリザベス・タワー）が完成しました。

またチャールズ・ダーウィン（一八〇九―八二）がロ

レセップス

ダーウィン

ンドンで『種の起源』を刊行しました。キリスト教関係者から強い反発を招きましたが、今では世間の常識になっています。

また、同じ年、オスマン帝国の属国だったワラキアとモルダヴィアが統合し、ルーマニア公国が成立しました。

一八六〇年五月、ジュゼッペ・ガリバルディ（一八〇七―八二）が、義勇の同志一〇〇〇人（千人隊または赤シャツ隊）を率いてシチリア島に上陸しました。ガリバルディは歴戦の英雄で南米でも大きな功績を挙げ、「二つの世界の英雄」として有名です。一時、一八四九年にローマ共和国をマッツィーニ他と樹立（二月―六月）しましたが、時に利あらず、妻のアニータ（彼女は「イタリアのアマゾネス」と呼ばれた女傑でした）も戦死しました。今回は無事に進み、シチリアとナポリ（両シチリア王国）を軍事占領しました。国王フランチェスコ二世（在位一八五九―六〇）が逃亡し、両シチリア王国は滅亡します。そしてガリバルディは、一〇月、奪った両シチリア王国を、ヴィットーリオ・エマヌエーレ二世に献上したのです（テアーノの握手として有名です）。このことでイタリア統一運動は弾みがつき、残るはヴェネツィアと教皇領

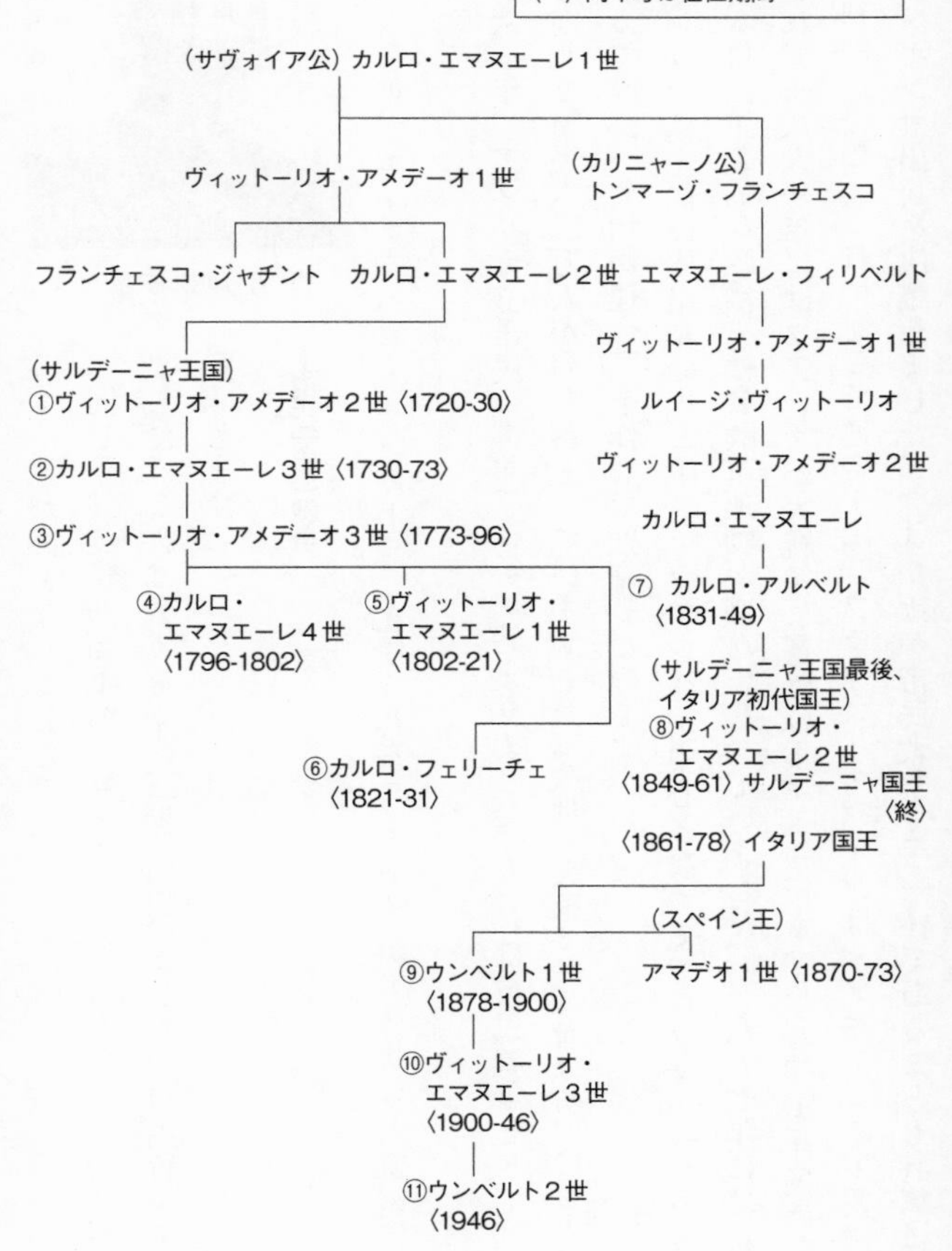
①〜⑧はサルデーニャ王位継承順
⑧〜⑪はイタリア王位継承順
〈　〉内年号は在位期間
(サヴォイア公) カルロ・エマヌエーレ１世
ヴィットーリオ・アメデーオ１世
(カリニャーノ公)
トンマーゾ・フランチェスコ
フランチェスコ・ジャチント
カルロ・エマヌエーレ２世
エマヌエーレ・フィリベルト
ヴィットーリオ・アメデーオ１世
(サルデーニャ王国)
①ヴィットーリオ・アメデーオ２世〈1720-30〉
ルイージ・ヴィットーリオ
②カルロ・エマヌエーレ３世〈1730-73〉
ヴィットーリオ・アメデーオ２世
カルロ・エマヌエーレ
③ヴィットーリオ・アメデーオ３世〈1773-96〉
⑦ カルロ・アルベルト
〈1831-49〉
④カルロ・
エマヌエーレ４世
〈1796-1802〉
⑤ヴィットーリオ・
エマヌエーレ１世
〈1802-21〉
(サルデーニャ王国最後、
イタリア初代国王)
⑧ヴィットーリオ・
エマヌエーレ２世
〈1849-61〉サルデーニャ国王
〈終〉
⑥カルロ・フェリーチェ
〈1821-31〉
〈1861-78〉イタリア国王
(スペイン王)
⑨ウンベルト１世
〈1878-1900〉
アマデオ１世〈1870-73〉
⑩ヴィットーリオ・
エマヌエーレ３世
〈1900-46〉
⑪ウンベルト２世
〈1946〉

サヴォイア家系図

(ローマ)だけとなりました。

同じ年、英仏通商条約(コブデン・シュヴァリエ条約)が結ばれました。これはナポレオン三世が結びました。自由貿易の勝利を意味します。

ガリバルディ

市民(南北)戦争

一八六〇年、エイブラハム・リンカーン(在任一八六一―六五)がアメリカ大統領に選出されました。

一八六一年、アメリカで市民(南北)戦争が始まりました。これは市民戦争としては規模が最大で南北で市民六二万人が命を落としています(第二次世界大戦でも死者は約四〇万人です)。アメリカで南部一一州が連合国を作って独立したのです。

メキシコでは先住民族出身のベニート・ファアレスが中心となって、レフォルマ(大改革)と呼ばれる自由主義的な政治・社会改革運動が盛んになっていました。一八五七年には新憲法が発布され、一八六一年にはファアレスが大統領に選ばれます(在任―一八七二。先住民族から選出された初の大統領)。これに対して連合王国、フランス、スペインは、メキシコの主要債権国として、メキシコ出兵を決議しました。アメリカが市民戦争で手一杯であることも計算に入れていたでしょう。

一八六一年には、イタリア王国が建国され、統一は一応の完成を見ます。初代首相カヴールはこの年に急逝しました。カヴール、マッツィーニ、ガリバルディは「イタリア統一の三傑」と呼ばれます。また、ロシア皇帝アレクサンドル二世（在位一八五五―八一）は大改革の一環として農奴解放令を実施しました。

一八六二年、リンカーンの奴隷解放宣言が出されました。この戦争の本質は農業立国＋自由貿易（南軍）か、工業立国＋（産業）保護貿易（北軍）かを争うものでした。争点がはっきりしていたのでお互い引くに引けない戦いとなります。

同じ年、アメリカでホームステッド法の制定が行われました。これは、アメリカ西部の未開発の土地、一区画一六〇エーカー（約六五ヘクタール）を無償で払い下げるものであり、自営農地法とも呼ばれています。南部の諸州が議会を去ったため障害がなくなり法案は無事可決されました。

フランスは一八六二年にメキシコ出兵を実施しました。連合王国とスペインは適当な所で手を引きます。しかしフランスは違いました。

同じ年、オットー・フォン・ビスマルク（在任一八六二

リンカーン

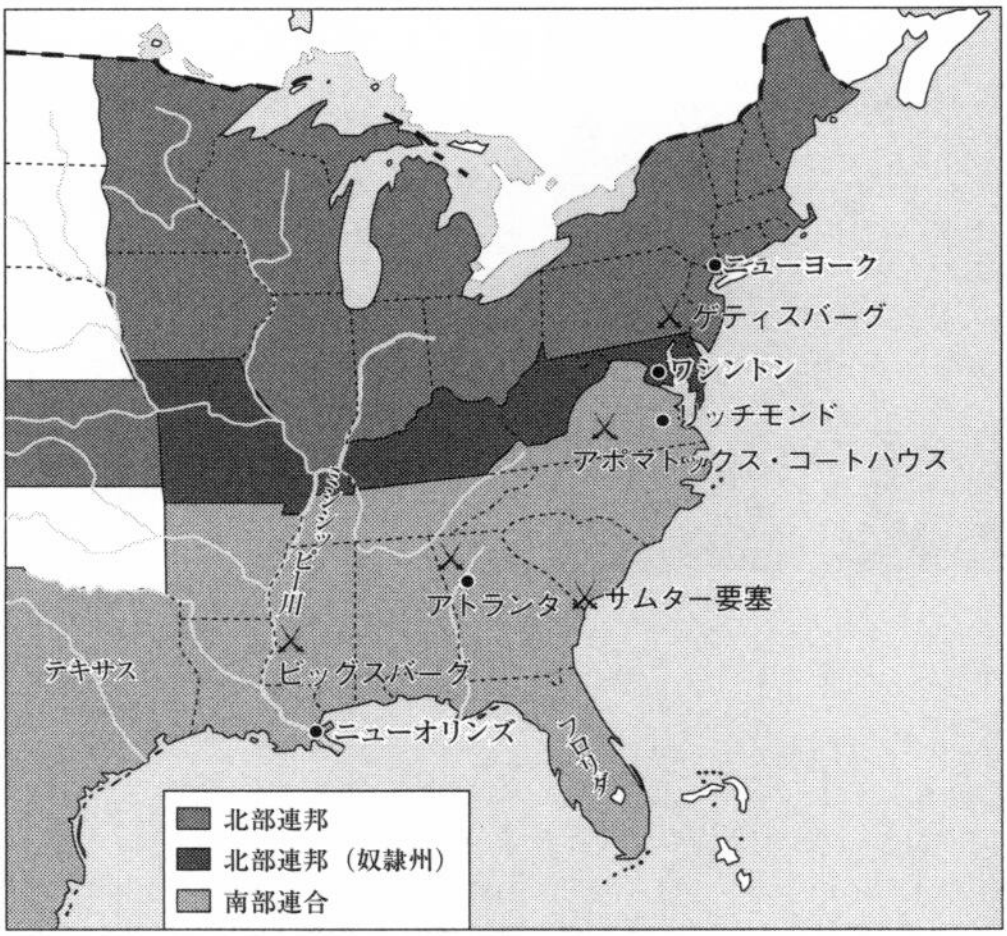

南北戦争（北部諸州と南部諸州の対立）

—九〇）がプロイセン王国宰相に就任し、有名な「鉄血演説」を行いました（後述）。

一八六三年、ロンドンで世界最初の地下鉄が開通しました。また、ペルシャのバハオラ（バハー・ウッラー。一八一七—九二）が、バハーイー教を開きました。二〇〇八年、「ハイファと西ガリラヤのバハーイー教聖地群」の名称で新宗教の宗教施設として初めて世界遺産に登録されます。

同じ年、アメリカで市民戦争の最大の激戦、ゲティスバーグの戦いが行われました。また、フランスはメキシコシティを占領しました。ナポレオン三世は一八六四年、オーストリア皇帝フランツ・ヨーゼフ一世の弟、マクシミリアン（在位一八六四—六七）をメキシコ皇帝に即位させます。しかしフアレスを中心にメキシコの抵抗は苛烈を極めました。マクシミリアン帝はフランスの傀儡（かいらい）国家でした。

一八六四年、教皇ピウス九世（在位一八四六—七八）が回勅「クワンタ・クラ」と「誤謬表（シラブス）」を公表しました。ピウス九世は、初めは自由主義者として登場しますがフランス二月革命（ヨーロッパ一八四八年革命）で反動化が極端に進み、自然科学や自由主義などの近代思想・文化をすべて誤謬であると決め付けました。

同じ年、ロンドンにて第一インターナショナル（国際労働者協会）が結成されました。これは一八七六年まで続きます。チャーティスト運動が継承されたのです。ナポレオン三世はパリの労働者三〇〇人の旅費を負担しました。第一インターナショナル創立宣言はマルクスが書きました。標語は「万国の労働者団結せよ」で、マルクス派とバクーニン派（アナキスト）にやがて分かれていくことになります。ちなみに、「万国の労働者団結せよ」は一八四三年、フローラ・トリスタンの「労働者連合」が初出です。彼女は、ポール・ゴーギャンの祖母です。

ビスマルク

同じ年、ロシアで地方自治制度のゼムストヴォが導入されました。これはアレクサンドル二世による農奴解放令と並ぶ大改革です。ニコライ・ミリューチン（一八一八—七二）が両方に腕を振るいました。一八六四年にアンリ・デュナンの提唱によりジュネーヴ条約が結ばれて、赤十字国際委員会（ＩＣＲＣ）が発足しました。

ピウス9世

またパラグアイ戦争（三国同盟戦争）が起こりました。これはパラグアイとアルゼンチン、ブラジル帝国、ウルグアイの三国同盟軍との間で国境問題をめぐって行われた戦争で、ラテンアメリカの歴史の中で最も凄惨な武力衝突となりました（一八七〇年に終わりました）。

一八六五年ついに市民戦争が終結しました。四月、南部連合の首都、リッチモンドが陥落したのです。アポマトックス・コートハウスの戦いで、南軍のロバート・E・リー（一八〇七―七〇）将軍が北軍のユリシーズ・グラント（一八二二―八五）将軍に、降伏しました。市民戦争で忘れてはならないエピソードが二つあります。一つはゲティスバーグの戦いの後、リンカーンがその場で行なった名演説です。

「人民の人民による人民のための政治を地上から絶滅させない」

もう一つは、戦争終結から五日後にリンカーン大統領が暗殺されたことです。シェークスピア役者、ジョン・ウィルクス・ブース（一八三八―六五）が犯人でした。

同じ年、チェコのグレゴール・ヨハン・メンデル（一八二二―八四）が遺伝の法則を発見しました（メンデルの法則）。

一八六六年、普墺戦争で、オーストリアが敗北し、ドイツ連邦が崩壊しました。

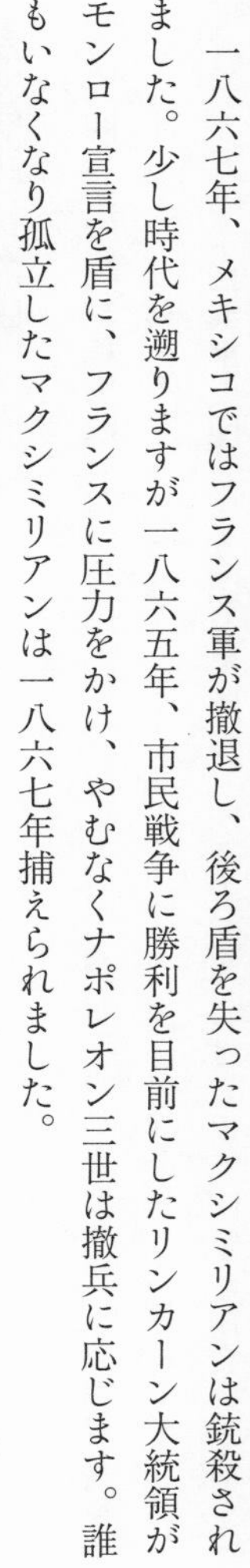

一八六七年、メキシコではフランス軍が撤退し、後ろ盾を失ったマクシミリアンは銃殺されました。少し時代を遡りますが一八六五年、市民戦争に勝利を目前にしたリンカーン大統領がモンロー宣言を盾に、フランスに圧力をかけ、やむなくナポレオン三世は撤兵に応じます。誰もいなくなり孤立したマクシミリアンは一八六七年捕えられました。

メキシコでは、再び総選挙が行われ、フアレスが大統領に復帰します。フアレスは「建国の父」と慕われました。「他者の権利の尊重が平和である」という有名な言葉が残っています。フアレスは一八七二年に死去しましたが、一一年後の一八八三年、イタリアのある家族に男子が生まれました。フアレスに心酔していた父親は、立派な革命家になってほしいと、その子をベニートと名づけました。皮肉なことにこの子がのちのムッソリーニになります。

「マクシミリアンの処刑」マネ画

一八六七年、オーストリア＝ハンガリー帝国（二重帝国）が成立しました。軍事・外交・財政を除いて各々の内政はオーストリアとハンガリーの二つの政府が仕切ることになりました。

これをアウスグライヒ（和協）と呼んでいます。なお、マクシミリアンの処刑が兄フランツ・ヨーゼフ一世に知らされたのは、アウスグライヒにより、オーストリア＝ハンガリー帝国が成立したのを祝うブダペストでの祝賀行事の最中でした。

同じ年、マルクスがハンブルクで「資本論」第一巻を刊行しました。またロシアがアラスカをアメリカに売却しました。この年、英領北アメリカ法が成立し、カナダが植民地から連合王国最初の自治領に昇格しました。

(2) 清と日本の内憂外患

†太平天国の乱と日本の開国

一八四三年、科挙に失敗した洪秀全（一八一四―六四）が、みずからをキリストの弟と宣言して、拝上帝教を説き始めました。唯一神＝上帝を礼拝し、偶像崇拝を禁じる教えです。そして、一八五一年に太平天国という国を建国し、一八五三年には太平天国軍が南京（天京と呼称）を落として首都としました。華北各地の捻軍（農民反乱を起こした集団。一八六八年まで八省で活躍）も太平天国軍に呼応しました。

ところが、これを鎮圧すべき清の正規軍はまったく役に立ちません。草創期に無敵を誇った八旗は、閲兵式に旗を持って行進するだけの軍隊になっていました。そこで清の高級官僚であった曾国藩（一八一一―七二）は、自分の故郷から勇猛な志願兵を集めて、太平天国軍の討伐に向かわせます。この志願兵グループを湘軍といいました。曾国藩の出身が湖南省湘郷県（現在は双峰県）であったからです。この曾国藩の部下から李鴻章（一八二三―一九〇一）が出ます（安徽省合肥の人。安徽省淮河南岸の人を集めて組織したのが淮軍）。さらに李鴻章の部下に袁世凱（一八五九―一九一六）が出るなど清末期の軍隊は、私兵が中心となっていきます。

曾国藩　洪秀全

一八五〇年、清の咸豊帝（在位―一八六一）が第九代皇帝に即位しました。

クリミア戦争が起こった一八五三年、日本の浦賀にマシュー・ペリー（一七九四―一八五八）が来航しました。ペリー来航の目的はなんだったのでしょうか。この当時のアメリカは、連合王国に次ぐ経済大国になっていました。そのアメリカが交易相手国として重視していたのは中国です。ところが中国との交易ではアメリカが連合王国に絶対に勝てない理由がありました。ペリー艦隊が日本にきたルートは、ニューヨーク近くの港を出て大西洋を渡り、連合王国経由でインド洋を通ってくるルートでした。そうすると、ニューヨークからロンドンまでの大西洋横断航路の船賃がアメリカ商船にはまるまる加算されてしまうのです。

ペリー

アメリカが連合王国に勝つためには太平洋横断ルートを開くしかありません。地球は丸いので、アラスカ、ベーリング海、日本、中国へと行くルート、これが一番近い。現在の飛行機のルートも同様です。もし、このルートをアメリカ商船が使おうとすれば、交易の中継地は日本しかありません。つまりペリーの来航目的は、かつて一部でいわれたように捕鯨船の基地が欲しかったのではなく、米中交易のために日本の開港が必要だったからです。時間の流れは再び日本に表舞台に立つように迫ってきました。なお同年、ロシアの軍人で政治家のエフィム・プチャーチン（一八〇三―一八八三）が長崎に入港しています。

ペリーの強硬な交渉を、若き老中首座、三〇代半ばの阿部正弘（一八一九―五七）が受けて立ちました。ペリーには来年を約束して帰ってもらいます。クリミア戦争で欧州の目がそちらに向かっていることにも助けられたことでしょう。なお、ペリー来航の話は前年の一八五二年、ネーデルラントから伝わってきていました。世界の情勢を熟知していた彼は、「開国」「富国」「強兵」の三点セットしか日本の生きる道は他にはないと思い定めました。

一八五四年、ペリーの再来航による日米和親条約の締結を行います。日本の開国です。

そして箱館と下田を開港しました。この阿部正弘の決断は二〇〇年以上も続いていた鎖国を断ち切ったわけですから、たいへんな英断であったと思います。時代が大きく動くときの判断は、年寄りの知恵だけでは心もとないものがあります。初めての事態に思考が止まりがちになるからです。阿部正弘は若くして亡くなってしまうのですが、これ以後の明治維新に登場してくる人物もほとんどが若人ばかりです。

阿部正弘

阿部正弘は次は国内に目を向けました。安政の改革を推進したのです。国家としての軍事及び外交研究機関として講武所（一八六六年に陸軍所へ吸収）、長崎海軍伝習所（築地に軍艦操練所が完成すると一八五九年に閉鎖）、洋学所（一八六三年開成所、後に日本最初の官立大学である旧東京大学）などを創設しました。

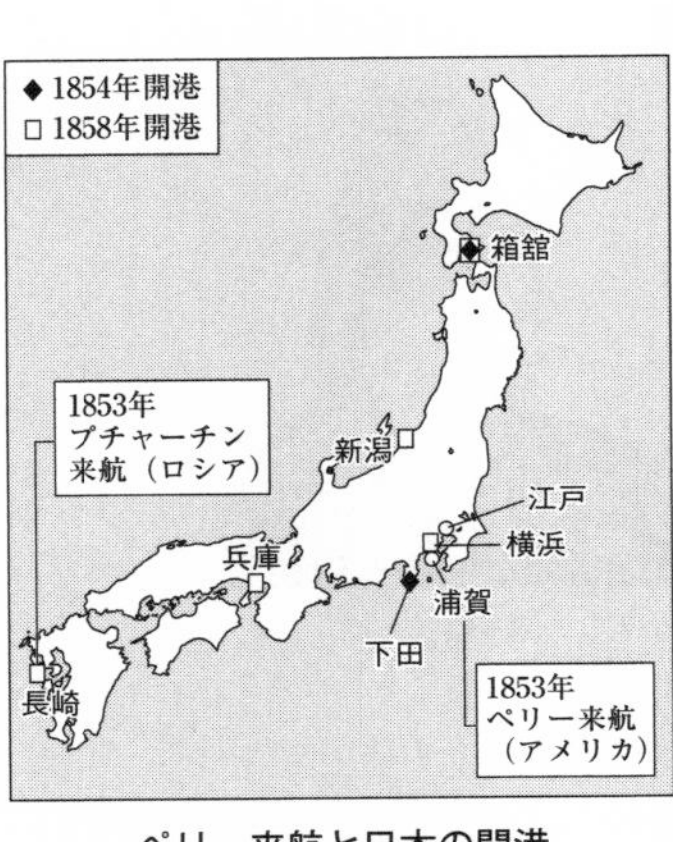

ペリー来航と日本の開港

また、西洋砲術の推進、大船建造の禁（一六〇九年）の緩和など幕政改革に取り組みました。
阿部正弘が急死したため、一八五七年、安政の改革は打ち切られましたが、その志は日本の明日を担う魂として受けつがれていきます。エピソードとして教育改革をあげることができます。一八五三年に阿部正弘は、備後福山藩の藩校「弘道館」を「誠之館」に改め、身分にかかわらず教育を行いました。教育の重要性を知りぬいていたのです。

日米和親条約が結ばれた年に、ニューヨークの小さなロウソク工場主、アントニオ・メウッチ（一八〇八―八九）が電話を発明しました。ただ貧しくて特許料を払えなかったので、メウッチに代わって一八七六年に特許を得たアレクサンダー・グラハム・ベル（一八四七―一九二二）が電話の発明者となってしまいました。なお、ベルはナショナルジオグラフィック協会の創設に関わりました（義父が創設者）。また聾者教育に尽力し、デシベル（dB）などに使われる相対単位「ベル」などにその名を残しています。

一八五四年、広東省の珠江デルタ西岸の五邑地域で土客大械闘（とかくだいかいとう）が起こったのも社会不安を表しています。客家と本地人の対立を指す言葉ですが、反乱軍は広西省に入り大成国を建てました。大成国は一八六四年まで続きます。

一八五五年、タイと連合王国でボーリング条約（友好通商条約）が締結されました。

一八五六年、タウンゼント・ハリス（一八〇四―七八）が日本のアメリカ合衆国弁理公使として下田に着任しました。

同じ年、天京事変により太平天国が内部分裂し（二万人余りが殺害）、衰亡へ向かう転換点となりました。また雲南省で杜文秀（スルタン・スレイマン）による回民反乱（パンゼーの乱）が起こり一八七三年まで続きました。パンゼーは、ミャンマー人による雲南回民の呼称です。生き残った多くの回族の難民が周辺のミャンマー、タイ、ラオスなどに逃れました。

†連合王国の横暴――アロー戦争とインド大反乱

一八五六年、内憂外患の清の屋台骨をぐらつかせる事件が起きました。広州で不審なアロー号に中国が臨検を行い、三人を海賊の容疑で逮捕します。この船は連合王国の船籍登録がありましたが、期限が切れていたので、この拿捕（だほ）は合法でした。ところが連合王国の広州領事、ハリー・パークス（一八二八―八五）は、この行為を連合王国に対する侮辱であると執拗に抗議します。そして、これを口実として、連合王国は開戦に持ち込んでしまいました。この戦争をアロー戦争、または第二次アヘン戦争と呼んでいます。

議会は、このあまりの横車に一旦は開戦を否決したのですが、首相ヘンリー・ジョン・テンプル（第三代パーマストン子爵。在任一八五五―五八、五九―六五）は、議会を解散して新議会の承認を得、ナポレオン三世を誘って、清に出兵しました。

同じ年に連合王国はイランとも戦端を開きました。ガージャール朝が、ホラーサーンの交易都市ヘラートを領有したことが原因です。

そして翌一八五七年にパリ条約を結び、ガージャール朝にヘラートとアフガニスタンの主権を放棄させるとともに、関税自主権も取り上げました。つまり、ホラーサーンはアフガニスタンと一緒に連合王国が面倒を見る、おまえは手を出すな、と言ったのです。これもずいぶん横暴な話です。ホラーサーンは伝統的にペルシャの一部でしたから。

一八五七年、インドでは、インド大反乱（セポイの乱）が起こります。セポイとはペルシャ語のスィパーヒー（軍人）が訛ったもので、東インド会社に雇用されていたインド人傭兵のことです。この反乱は連合王国の暴政に対する一大蜂起となり、領主から農民まで広範な民衆を巻き込みました。反乱軍はすでに名前だけの存在になっていたムガル朝の八二歳の老皇帝、バハードゥル・シャー二世（在位一八三七―五八）を担ぎ出しました。しかしその甲斐もなく、一八五九年に反乱は鎮圧されます。老皇帝は廃位され、ミャンマーに追放されました。こうして、ティムールから数えて四八八年、バーブルから数えて三三二年、ムガル朝は滅亡しました。

このインド大反乱を、最近ではインドの史観を重視してインド第一次独立戦争とも呼んでいます。大反乱に対して、連合王国はインド統治法を成立させ、東インド会社に代わり本国政府が直接に統治するようになりました。

また、フランスのナポレオン三世は、連合王国に負けじとばかり、一八五八年、ベトナムのダナンに侵攻します。最終的にフランスは、一八八七年にフランス領インドシナ（現在のベトナム、ラオス、カンボジア）を成立させました。一九五四年まで続きます。

一八五八年、アロー戦争で敗北した清は、連合王国・フランスと天津条約を結びます。天津条約の内容は、①軍事費の賠償（連合王国四〇〇万両、フランス二〇〇万両）②外交官の北京駐在③外国人の中国での旅行と貿易の自由、キリスト教布教の自由④治外法権⑤一〇港を開港などです。ただし、紛争が生じたので英仏は条約の批准を拒みました。なお、天津条約に加わったロシアとアメリカは、批准します。

井伊直弼

同じ年、井伊直弼（いいなおすけ）（一八一五―六〇）が大老に就任しました。

井伊直弼は、果断の人で開国・富国強兵路線に則り、日米

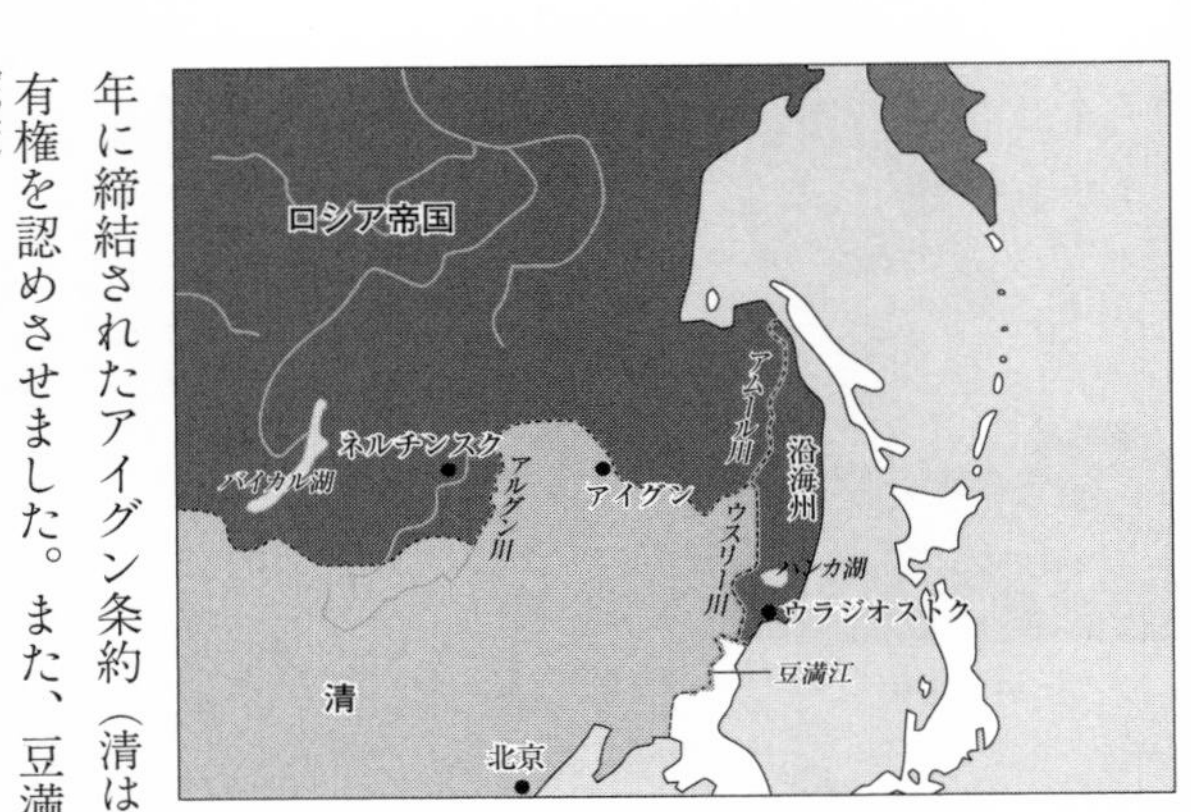

アイグン条約後の清とロシア帝国

修好通商条約を含む安政五カ国条約（アメリカ、ネーデルラント、ロシア、連合王国、フランス）を締結しました。一八五八年、徳川家茂が江戸幕府第一四代将軍（在任一八五八—六六）となります。また、安政の大獄が始まりました。

一八六〇年、北京入りした英仏連合軍は円明園を破壊略奪し（咸豊帝は「北狩」を称して承徳に逃亡）、連合王国・フランスは北京条約を結びました。北京条約は、天津条約に加えて⑥英仏の賠償八〇〇万両⑦天津の開港⑧移民公認を認めさせたことです。また連合王国へは、九竜半島の南部九竜司地方（香港島に接する部分）を割譲しました。

さらに戦争終結の仲介をしたロシアとは、一八五八年に締結されたアイグン条約（清は認めていませんでした）を出すことで、アムール川左岸の領有権を認めさせました。また、豆満江、ハンカ湖〜ウスリー川以東アムール川以南の地域（東韃靼）を割譲させました。今の沿海州です。ロシアはウラジオストクを建設しました。

しかし、北京条約で特筆すべきは、清に中国人の海外渡航を認めさせたことです。目的は労働力の輸出です。

連合王国は、マラッカ、ミャンマー、シンガポールなどを得て、東南アジアにいくつもの橋頭堡をつくりつつありました。二次にわたるアヘン戦争（アヘン戦争とアロー戦争）で得た賠償金をつぎ込みますが、港湾建設や都市の造営には、安価な大量の労働力が必要です。そのために中国人たちをクーリーと呼び、苦力と表記しました。まさに奴隷のようなものでした。しかし、中国人はよく働き、頭脳も優秀です。彼らは逆に東南アジアで台頭して華僑の世界をつくり、東南アジアの政財界をリードするようになっていきます。

†桜田門外の変

一八六〇年、桜田門外の変で大老井伊直弼が水戸浪士など（一八名）に暗殺されました。また万延元年、遣米使節（七七名）が日米修好通商条約の批准書交換のために米国海軍のポーハタン号で訪米します。同時に咸臨丸（勝海舟艦長）が米国西岸との間を往復しました。日米修好通商条約は不平等条約です。関税自主権や治外法権（領事裁判権）など問題はいくつかありましたが、治外法権については止むを得ない面があります（刑法など未整備でした）。それより通貨の交換比率の交渉がありました。日本貨幣と西洋貨幣との交換比率を定める必要が生じ、ハリスにより銀含有量を基に1ドル＝3分（銀）の交換比率を承諾しました。

　このことは、相対的に日本の金が安くなったことを意味します。その悪影響を理解していた幕府が懸念したとおり、条約締結後すぐ、外国人はハリスを先頭に、大量の銀を日本に持ち込んで金に替え、海外に持ち出しては三倍の銀に交換する行動に出ました。やむなく幕府は使節団の帰国を待つことなく、天保小判の三分の一弱の金含有量の万延小判を新たに発行することになりますが、結果として大幅なインフレを招くこととなりました。

　一八六一年、清の咸豊帝が死去しました。辛酉（しんゆう）政変（祺祥（きしょう）政変）で皇后東太后と側室西太后らが実権を握り、五歳の同治帝（在位一八六一―七五。母は西太后）が即位します。東太后・西太后が垂簾聴政（すいれんちょうせい）を行いました。一八七三年の同治帝の大婚の日まで続きます。

　一八六二年、将軍徳川家茂と皇女和宮が結婚しました（公武合体）。同じ年、生麦事件が起こりました（一名死亡、二名重傷）。また文久遣欧使節（三八名）が出発します。

　一八六三年、薩英戦争が勃発（鹿児島城下の一〇分の一が焼失）、尊皇攘夷を掲げていた声は急速に下火になり藩論は開国へ向け大きく転換することになりました（二万五〇〇〇ポンドを支払い生麦事件・薩英戦争は終了しました）。

　一八六四年、太平天国の天京（南京）が落城します。洪秀全は落城前に病死しました。

　一八六〇年代前半から一八九〇年代前半にかけて曽国藩や李鴻章、左宗棠を始めとする高級官僚は、ヨーロッパの科学技術を導入して清の国力増強を図る洋務運動を推進しました。

一八六四年、下関戦争（列強四国艦隊下関砲撃事件）が起こりました。連合王国公使、ラザフォード・オールコック（在任一八五九―六四）が主導的役割を果たします。なおオールコックは、滞日三年の記録を「大君の都」として残しました。下関戦争は薩英戦争と同じ結果を呼びました。一言で述べるなら、長州藩は攘夷を放棄しました。

下関戦争（連合艦隊上陸後の下関砲台）

また、京都で禁門の変（蛤御門の変）を起こした長州藩を罰するために第一次長州征討が行われました。長州藩は、三家老の切腹・四参謀の斬首などを行いました。また禁門の変を犯した時局を収拾するために一会桑政権（幕府、会津藩、桑名藩）が成立しました。

一八六六年、長州藩の対応を不満として、第二次長州征討が行われましたが、その途上で家茂が大坂城で死去し、攻撃は中止となりました。家茂の死から五カ月、徳川慶喜が江戸幕府第一五代将軍（在任一八六六―六七）となり、慶応の改革（陸軍総裁・海軍総裁など）を行いました。フランス公使、レオン・ロッシュ（在任一八六四―六八）は、改革の構想を建言するなど慶喜を助けました。

また同じ年に薩長同盟が結成されました。一会桑政権は敵であると断言したものです。

一八六七年、前年の孝明天皇の死去に伴い、明治天皇（在位一八六七―一九一二）が跡を継ぎました。また徳川慶喜が朝廷に大政奉還を行いました。結局慶喜は一度も京都を離れませんでした。しかし、薩摩藩・長州藩に対して討幕の密勅が秘かに出されていたのです。

†明治維新

一八六八年、明治維新（詩経「周雖旧邦、其命維新」から採られました）が始まりました。それは、薩長土肥の四藩中心に行われた江戸幕府に対する倒幕運動（もっとも、倒幕運動など、前から始まっていいます）および、それに伴う一連の近代化改革を指します。この社会的変革により、幕藩制が廃止され、中央集権統一国家と資本主義化が進展していきました。

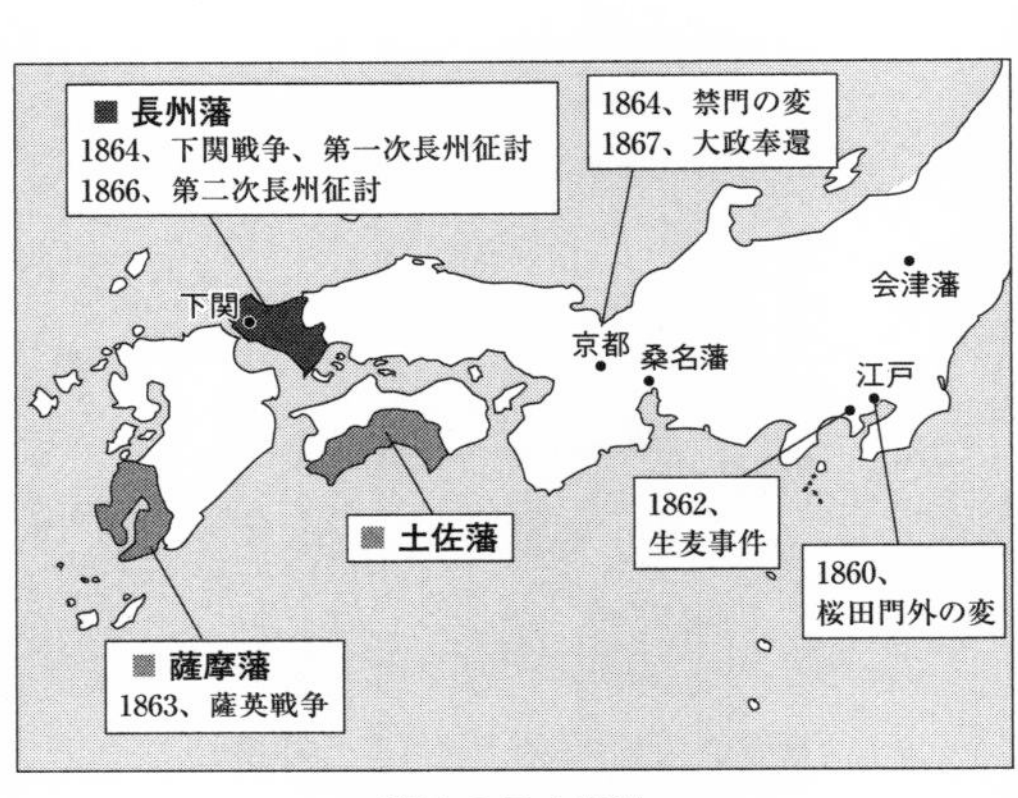

幕末の日本情勢

まず、一八六七年に行われた王政復古の大号令ですが、幕府、摂政、関白を廃止し、新たに総裁、議定、参与の設置を決めました（小御所会議）。そして、王政復古を各国公使に通告しました。

次に五箇条の御誓文を読み上げ、翌日には五榜（ごぼう）の掲示として殺人など五条を禁じる対民衆政策の基本を示しました。切支丹（キリシタン）を禁じる一文も入れてあります。それから神仏分離令です。廃仏毀釈の元になった考え方です。

「大政奉還図」邨田丹陵画。徳川慶喜による、幕府役人や大名に対しての伝達

明治天皇は即位式を上げ、改元し一世一元の制を定めました。また江戸を東京と改称し、江戸城を皇居として東京へ奠都（てんと）しました。

これに対して幕府は戊辰（ぼしん）戦争を戦いますが、鳥羽・伏見の戦いで敗北してからは事態収拾を勝海舟に一任して慶喜は上野の寛永寺で謹慎します。

西郷隆盛（一八二八―七七）と勝海舟（一八二三―九九）の会談を経て江戸城は無血開城されました。その後、奥羽越列藩同盟と新政府軍の

「江戸開城談判」結城素明画

戦いになり、主力を占める会津藩、庄内藩は降伏します。一八六九年、箱館戦争・五稜郭の戦いで、旧幕府軍が降伏しました。戊辰戦争は終わりを告げます。戊辰戦争を通じて明治維新の死者数は約一万二〇〇〇人ほどでした。

一八六八年に日本では明治維新が成し遂げられましたが、民衆を動かしたアジテーションは尊皇攘夷という旗印でした。フランス革命とは大きく異なります。もちろん死者の数はフランス革命の二〇〇万人に対し、明治維新はわずか一万二〇〇〇人ですから比較になりません。天皇を大切にして外国人を排斥せよ。それが日本の明日をつくる。この思想は、長い鎖国で外国人を知らなかった日本人には、なじみやすいものでした。

しかし維新の原動力であった薩長両藩の首脳部は、尊皇攘夷の非現実性をよく知っていたので（薩英戦争や下関戦争の教訓）、内心では、幕府の開国・富国強兵路線を評価していました。つまり、幕府も新政府側も開国・富国強兵路線を正しいと信じていた訳ですから死者の数が少なかったのです。ところが同じ倒幕派の中でも本気で尊皇攘夷を信じている人もいました。彼らが中心となって一八六八年に神仏分離令が出されます。

日本は神道の国だから、お寺と神社を一緒にしてはいけないというお達しです。日本の神社と寺院は長い間、神仏混淆（こんこう）の形で仲良く共存していました。

ところが、このお達しが出たものですから、尊皇攘夷で盛り上がった民衆は、寺院の打ち壊しを始めました。廃仏毀釈です。全国で（特に薩摩藩）多くの仏像が壊され寺院が倒されました。この運動は一〇年ほど続いてようやく収まりました。中国の文化大革命あるいはターリバーンやＩＳＩＬ（自称イスラム国）の歴史遺産の破壊と同じです。

廃仏毀釈で頭部が破壊された石仏（鹿児島県園林寺跡）

†岩倉使節団

明治政府は矢継ぎ早に、開国・富国強兵策を打ち出していきます。一八六九年、版籍奉還（藩主がその土地［版］と人民［籍］とを還すこと）、華族制度の創設。一八七一年、廃藩置県の断行。そして岩倉具視（いわくらともみ）を正使とする（一〇七名）使節団の米欧派遣（木戸孝允、大久保利通、伊藤博文が参加）を行いました。今で言えば、大臣のほぼ半数が二

岩倉使節団。1871年（明治４）12月、サンフランシスコ到着直後の岩倉使節団の面々。左から木戸孝允、山口尚芳、岩倉具視、伊藤博文、大久保利通

年弱、国を空けていたのです。いかに海外の事物が新鮮で興味深かったか、分かろうというものです。

一八七二年も、日本では、学制、グレゴリオ暦導入、新橋・横浜間に鉄道開通、官営富岡製糸場の操業開始、福沢諭吉「学問のすゝめ」初版刊行と続きます。

一八七三年、徴兵令公布、地租改正の実施、キリシタン禁令が廃止されました。同じ年、開国交渉を拒否した李氏朝鮮に対して、明治政府内では、西郷隆盛を中心に征韓論が生まれます。しかし、米欧使節団が帰国して、大久保利通（一八三〇―七八）たちは征韓論の無謀を説き、これを破棄しました。このため西郷と板垣退助を始めとして政府の約半数近い人々が辞職します。維新の三傑といわれた西郷、木戸、大久保はここで袂を分かちます。この政変によって政府の近代化路線が固まりました。大久保は、初代内務卿に就きます。実質的な首相です。

征韓論の議論を描いた錦絵（永嶋孟斎『西海騒擾起源征韓論之図』より）

一方で、政府は廃藩置県によって失業した士族のために不満の捌け口を探す必要に迫られていました。

一八七四年、台湾に漂着した琉球島民が殺害されたことを口実に、明治政府は台湾に出兵しました。最初の海外派兵です。大久保利通が北京に行って、交渉し解決しました。

下野した板垣退助らにより一八七四年に民撰議院設立建白書が政府に提出されて、自由民権運動の火蓋が切られます。

一八七四年、連合王国の東インド会社が解散しました。明治政府は一八七五年にロシアと樺太・千島交換条約を結び、北の国境を確定させます。

一八七五年、清の光緒帝（在位―一九〇八）が皇帝に即位しました。生母は西太后の妹であり、三歳の幼帝を補佐すべく垂簾聴政を敷き西太后と東太后は並んで再び執政の座に就きましたが、東太后は一八八一年に死去します。後は西太后の独り舞台でした。

同じ一八七五年、開国交渉が進展しない中、閣僚に極秘裡に二隻の軍艦を釜山に入港させました。その数カ月後、江華島事件が起こります。日本の軍艦が朝鮮側から砲撃を受けて応戦しました。この事件を口実として日本は朝鮮に圧力をかけ、翌一八七六年、日朝修好条規を結びました。この条約は、日本が欧米列強と結んでいた不平等条約を、そのまま朝鮮に押しつけたものでした。日本は欧米列強の後を追うことに決めたのです。

西郷隆盛（床次正精画）

大久保利通

一八七七年、西南戦争が始まりました。佐賀の乱（一八七四）、神風連の乱・秋月の乱・萩の乱（いずれも一八七六）に次ぐ内乱で、廃藩置県や廃刀令の公布（一八七六）など、特権を奪われた士族が、西郷隆盛を担いで起こしたものでした（一月—九月）。

勝海舟との会談で江戸城を無血開城させた西郷隆盛は明治維新のシンボルで、詩人の魂を持った人でした。落日の士族を見捨てるには忍びなかったのでしょう。一方の大久保利通は冷静な実務家肌の人で、近代化・富国強兵を実行しない限り日本の未来はない、と考えていました。この二人が、征韓論で対峙し、西郷が敗れた。どこか夢想家的なところがある西郷が下野し、現実を直視する大久保が残った。一八七三年の政変の意義は、明治維新を推進させた大きな要因であったと思います。なお、一八七七年に東京大学が創設されました。

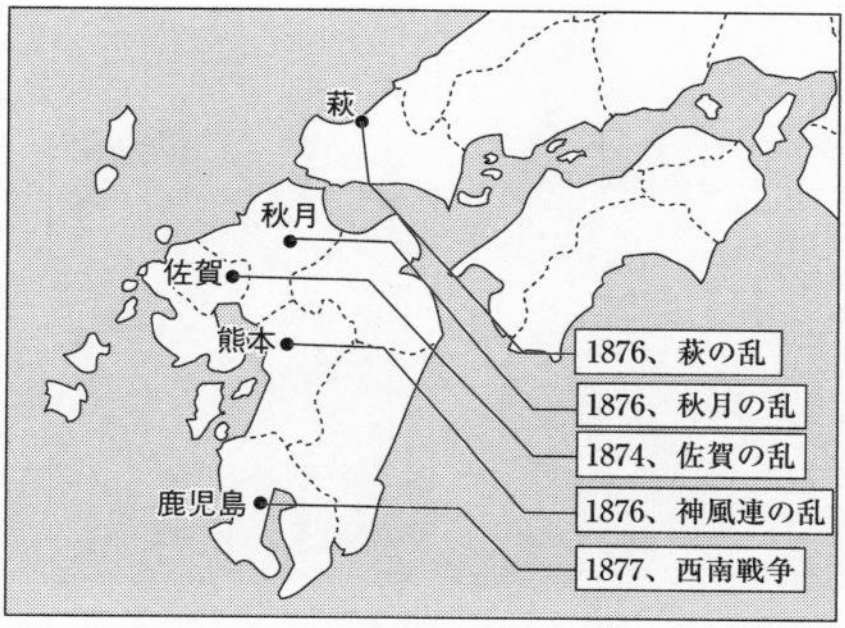

インドは、インド大反乱を鎮圧した本国政府に一八五八年、インド統治改善法を成立させ、インド総督（副王）が就任しました。第五代インド総督ロバート・ブルワー＝リットン（初代リットン伯爵。在任一八七六―八〇）は、一八七七年にヴィクトリア女王のインド女帝即位式（ダルバール）を女王の名代としてデリーで開催することになりました。ヴィクトリア女王のインド女帝兼任により、この国を以下大英帝国と呼ぶことにします。

なお、一八七六年から七八年にかけて、インド大飢饉が発生し、五二五万人が死亡しました。ちょうど、デリー・ダルバールの年に当たっており、不興を買いました。また、子息のヴィクター・ブルワー＝リットン（第二代リットン伯爵）は、リットン調査団の団長です。

萩
秋月
佐賀
熊本
鹿児島
1876、萩の乱
1876、秋月の乱
1874、佐賀の乱
1876、神風連の乱
1877、西南戦争

士族の反乱

一八七八年、紀尾井坂の変が起こり、大久保利通は暗殺されました。暗殺犯は六名でした。なお、現場は紀尾井坂ではなく、清水谷付近です。大久保は予算のつかなかった公共事業には私財を投じてまで行い、巨額の借金を残して死亡しました。考えてみれば、日本の明治維新は阿部正弘が蒔いた芽を大久保利通が育てることで成立したと言っても過言ではないと思います。

デリー・ダルバール（ヴィクトリア女王のインド女帝就任祝い、1877年）

(3) 国民国家の誕生

宰相ビスマルクによるドイツの統一

一八六二年、ビスマルクがプロイセン王国宰相に就任し、前述の通り「鉄血演説」を行いました。鉄血演説とは、ドイツの統一は、言論や多数決によるものではなく、鉄（武器）と血

（兵士）によってこそ解決すると主張するものです。ヴィルヘルム一世（在位一八六一－一八八八）は、宰相を求めていたのです。ビスマルクは、まさにぴったりでした。ビスマルクはオーストリアを除くドイツの統一（小ドイツ主義。オーストリアを含む大ドイツ主義と対立）を考えていましたが、後顧の憂いを断ちオーストリアと一線を越えるためには、フランスの中立が必要でした。

一八六五年にビスマルクとナポレオン三世は、スペイン国境に近いビアリッツで会談しました。ビスマルクは言葉巧みにナポレオン三世を説得すると、プロイセンは一八六六年、オーストリアを挑発して戦争に突入します（普墺戦争）。参謀総長ヘルムート・フォン・モルトケ（在任一八五七－八八）と鉄血宰相ビスマルクの前に、オーストリアはひとたまりもなく敗れ去ります。ドイツ連邦（一八一五年に成立。三五の領邦と四つの帝国自由都市との連合体）は解体し、プロイセンは北ドイツ連邦（一九の領邦と三つの帝国自由都市との連合体）を結成して盟主となりました。プロイセン側で参戦したイタリアは念願のヴェネツィア

ヴィルヘルム１世

モルトケ

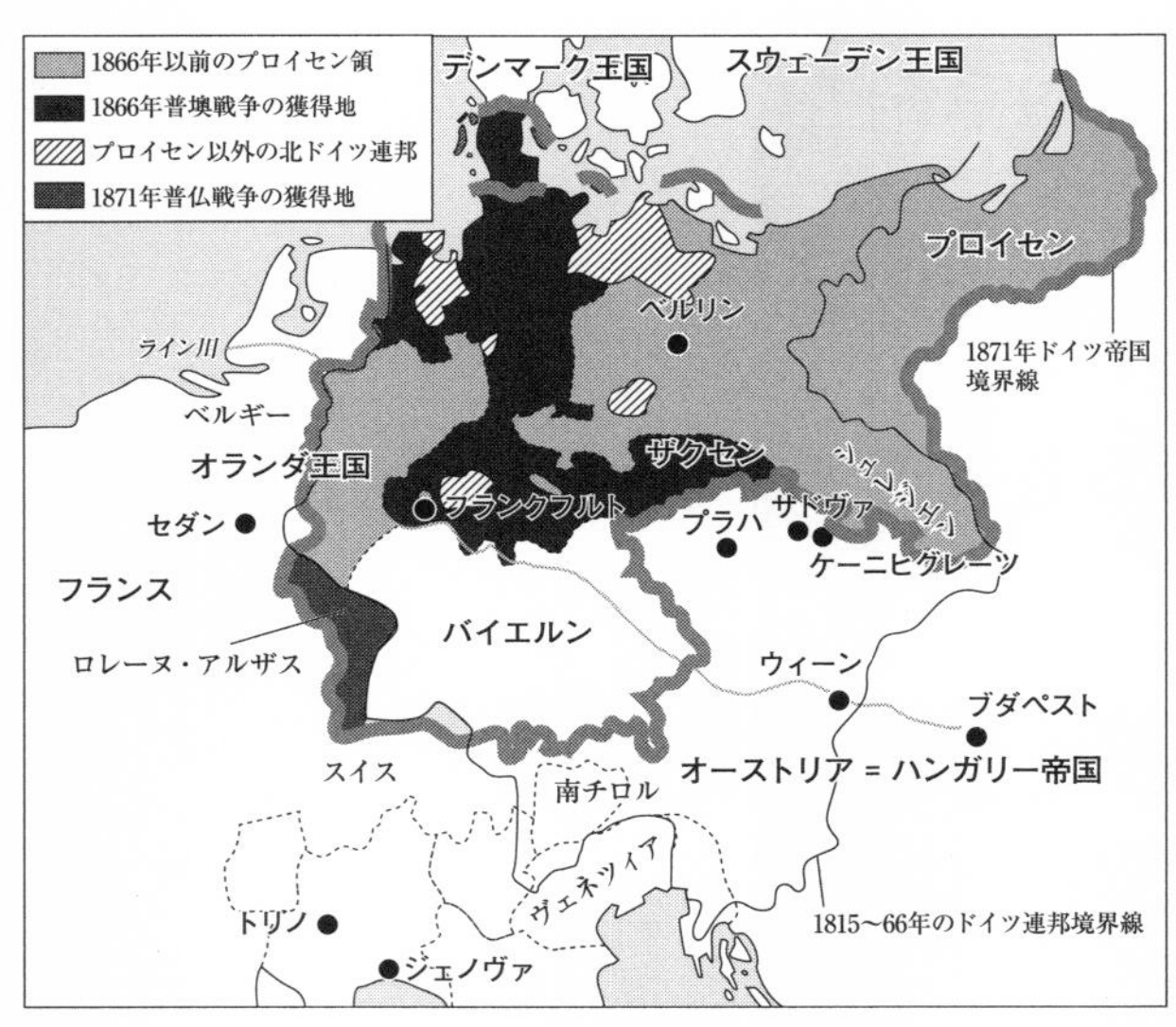

ドイツ統一の経過

を獲得しました。

敗れたオーストリアに残った主な領土はハンガリーです。しかし、この国に対してはロシア軍を引き入れて独立運動をつぶした経験があります。当然、ハンガリーはオーストリアに対して許しがたいという思いを持っています。そこでオーストリアは、ハンガリーとアウスグライヒ（和協）を結びます。こうして一八六七年にオーストリア＝ハンガリー帝国が生まれました。

スペインでは、一八六八年にフアン・プリム将軍（一八一四―七〇）の率いるスペイン名誉革命が起こり、イサベル二世（在位一八三三―六八）はフランスに亡命しました。

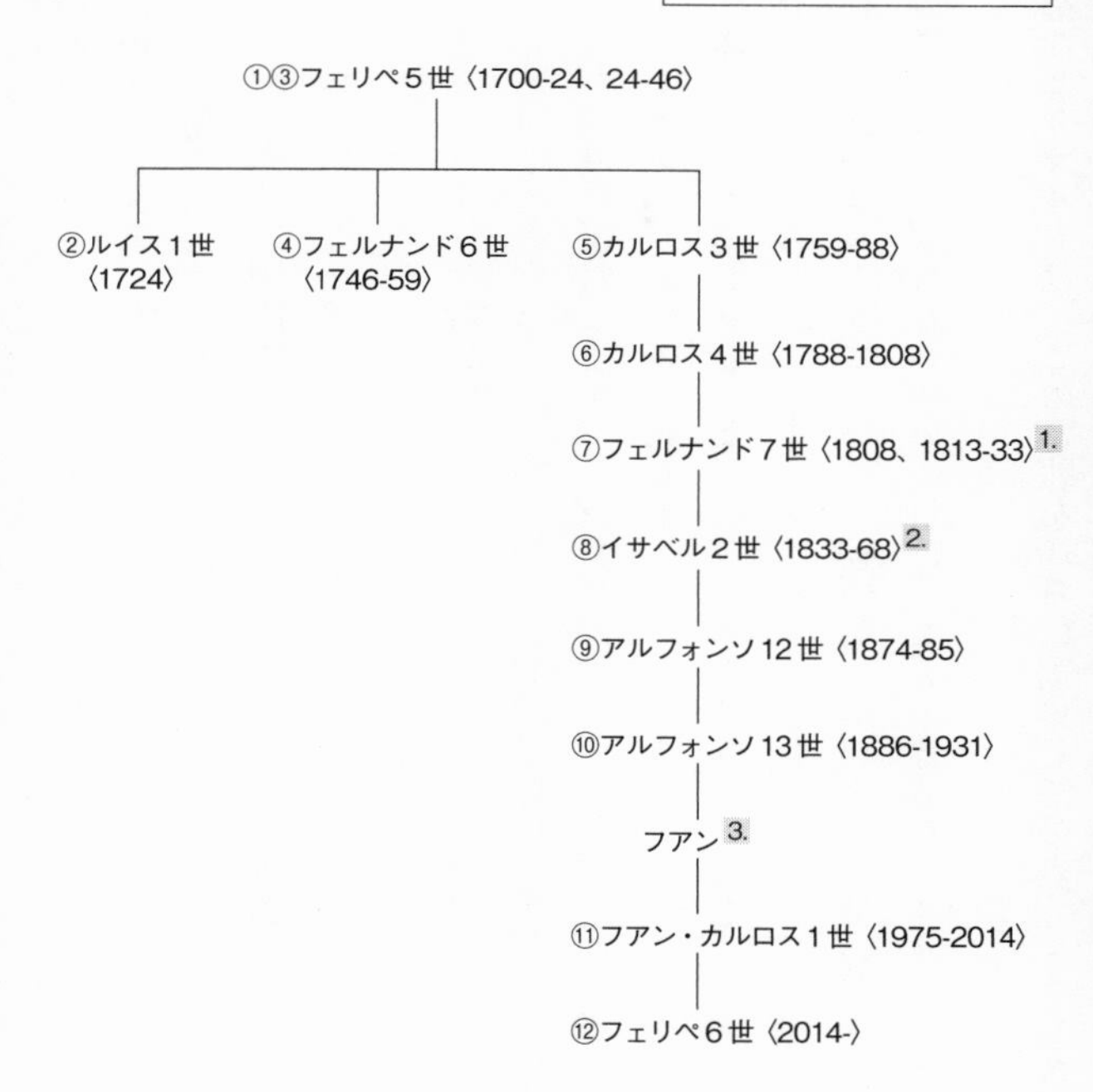

1. ナポレオン１世の侵略による。
2. スペイン名誉革命による。新王にサヴォイア家のアマデオ１世〈1870-73〉が選ばれた。
3. フランシスコ・フランコ（1892-1975）が権力を握り、1936 年から 1975 年に死ぬまで初代総統の地位にあった。

ボルボン家系図

革命政府は、一八六九年に立憲君主制を定めた新憲法を制定し、新しい君主の選定を始めます。紆余曲折を経て一八七〇年、イタリア国王ヴィットーリオ・エマヌエーレ二世の王子アマデオ一世（在位一八七〇―七三）が即位しました。

ところがスペイン国内の対立は止まず、アマデオ一世は一八七三年に退位して、スペインは第一共和政を実現します（一八七三―七四）。しかし共和政も二年もたずに倒れ、イサベル二世の嫡男アルフォンソ一二世（在位一八七四―八五）が帰国して、ボルボン朝が復活しました。

ところでスペインが新しい君主を探していたとき、プロイセンの王族でホーエンツォレルン家のレオポルト（一八三五―一九〇五）の名前も候補に挙がっていました。これには、ナポレオン三世が強硬に反対します。フランスが、かつてハプスブルク家に挟まれたように、今度はホーエンツォレルン家に挟まれる形になるからです。

レオポルトは辞退しましたが、フランス大使は、一八七〇年、プロイセン国王ヴィルヘルム一世をライン河畔の温泉地バート・エムスに訪ね、スペインの王位についてプロイセンは今後とも食指を動かさぬようにという、強硬なナポレオン三世の要求を伝えようとしました。その無礼さに立腹したヴィルヘルム一世は、ことの経緯をベルリンのビスマルクに電報で伝えました。

冷静なビスマルクは、この電報を巧みに編集して公表、フランスが激怒するように仕向けま

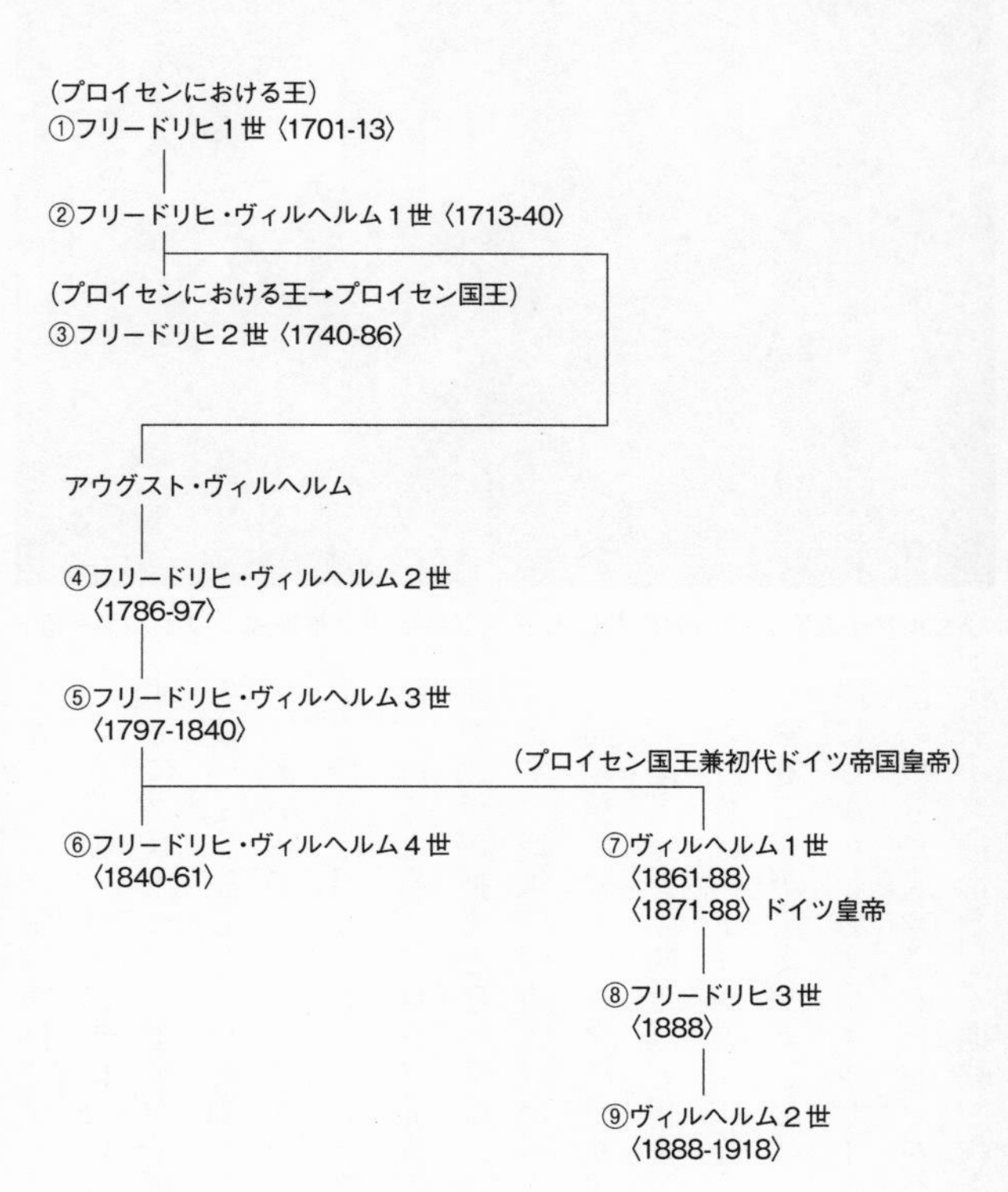

ホーエンツォレルン家系図

ヴェルサイユ宮殿鏡の間におけるドイツ皇帝即位布告式（ヴェルナー画）

した。エムス電報事件です。

こうして一八七〇年に普仏戦争が始まります。すでにプロイセンの工業力や軍事力はフランスを凌いでいました。用意周到なプロイセンと怒りにまかせて出陣したフランスとでは、おのずから勝敗は明らかでした。フランス軍は一蹴され、同年九月、フランス北部のセダンでナポレオン三世が捕虜となって第二帝政は終わりを告げます。戦争は国防政府が引き継ぎました。

同年秋、ビスマルクはパリ包囲戦を続けながら、南ドイツの四カ国と折衝を重ね、新生ドイツの呼称は、ドイツ帝国、ならびにドイツ皇帝とすることが決まりました。一八七一年、戦争中にもかかわらずヴェルサイユ宮殿でドイツ帝国の成立が宣言され、ヴィルヘルム一世は、初代ドイツ皇帝として推戴されます。ここに小ドイツ主義の完成形がありました。

ドイツとの和平を求めた第三共和政の初代大統領、アドルフ・ティエール（在任一八七一―七三）に対して、パリの市民と労働者は、パリ・コミューンを成立させました。いずれも短命に終わったとは言え、ほぼ同時期にマルセイユ、リヨンなど七つの地方都市でもコミューンの結成が宣言されました。この政権は二カ月でドイツ軍に支援された第三共和政の政府軍に打ち破られます。しかし、初めての女性参政権の実現や児童の夜間労働の禁止など、優れた社会民主主義政策を実現し、後世に大きな影響を及ぼしました。

パリ・コミューン成立の式典

普仏戦争は終わりを告げます。一八七一年、フランクフルト講和条約が結ばれました。普仏戦争でフランスはドイツに接するアルザス・ロレーヌを割譲したほか、五〇億フランの賠償金を課せられますが、ナポレオン三世が主導した産業革命により豊かになっていたフランスは、二年で賠償金を完済しました。

一八六九年にエジプトのスエズ運河が、フランス人フェルディナン・ド・レセップスによって開通しました。スエズ運河会社はレセップスにより一八五八年に創建された会社です。

一八七〇年に起こった普仏戦争により、ローマ教皇を守護していたフランス軍が撤退すると、イタリア軍が教皇領を占領し（ローマ占領。教皇領は廃止）、翌年ローマへ遷都しました。

ピウス九世は、みずからを「ヴァチカンの囚人」と称し、説教もせず閉じこもり、革命や共和政に対する嫌悪の感情に満ちた手紙を書き続け、近代に背を向けてしまいます。在位期間は三一年七カ月におよび史上最長を記録しました。

†ビスマルクの調整能力

黒海からの南下政策をクリミア戦争（一八五三―五六）で阻止されたロシアは、それではと中央アジアへ向かいました。ガージャール朝のヘラート放棄（一八五七）も誘因となります。

そこには、ジョチウルスから分かれたトルコ系遊牧民の国が散在していました。ブハラ・ハン国（シャイバーニー朝の後裔）、ヒヴァ・ハン国、コーカンド・ハン国などです。ロシアは、トルキスタン総督府（一八六七年）を置いてこれらの国々に本格的に取り組み始めました。先ずブハラ・ハン国（一八六八年）、それからヒヴァ・ハン国（一八七三年）をロシアの保護国にしていきます。

コーカンド・ハン国はロシアに滅ぼされ（一八七六年）、領土に編入されました。ロシアが置いたトルキスタン総督府の初代総督コンスタンティン・フォン・カウフマン（在任一八六七—八二）は、優れた指導者でした。彼は中央アジアを植民地として収奪するだけではなく、教育を充実させ、鉄道を通すなど地域の近代化に力を注ぎ、中央アジア近代化の父と言われます。

ビスマルクはフランスの復讐を恐れて、フランスの孤立化を外交目標に設定しました。そのために、一八七三年、三帝同盟をオーストリア、ロシアと結びます。東ヨーロッパの安全と平和を口実として、両国を説得しました。

同じ年、トルコの小アジア・ヒッサリクの丘にて、シュリーマンが「プリアモスの財宝」を発見し古代都市トロイアと断定しました。現在、「プリアモスの財宝」はプーシキン美術館が保管していますが、時代はもっと古いことが明らかになっています。

一八七五年、連合王国首相、ベンジャミン・ディズレーリ（在任一八六八、七四—八〇）は、ロスチャイルド銀行から融資を受け、スエズ運河会社の株式を買ってヴィクトリア女王にプレゼントしました。

また同じ年、パリのオペラ座が完成します。またゴータ綱領に基づきドイツ社会主義労働者党（後のドイツ社会民主党）が結成されました。

一八七六年、アブデュルハミト二世（在位一八七六—一九〇九）は大宰相ミドハト・パシャ

（一八二三―八四）らの起草によるオスマン帝国憲法（ミドハト憲法）を発布しました。アジアで最初の憲法です。しかし、露土戦争（一八七七―七八）が始まり、第一次立憲制はわずか一年二カ月で終焉しました。一八七八年、ロシアが圧勝して、サン・ステファノ条約が結ばれます。この条約でロシアは広大な領土を割譲させた上、オスマン朝の勢力下にあったルーマニア、セルビア、モンテネグロの独立と、大ブルガリア（自治権付与）などを承認させました。いずれの条件も、ロシアのバルカン半島への南下政策に資するものでした。

　サン・ステファノ条約に対して、大英帝国が猛反発したので、一八七八年、ビスマルクが仲介して、英・仏・墺・露・伊・オスマン朝、それとドイツの列強が顔を揃えたベルリン会議が開かれました。その結果、ルーマニア、セルビア、モンテネグロの三国の独立は認められますが、大ブルガリア構想は当初の案より領土を縮小されます。しかし、自治は、認められました。大英帝国は、オスマン朝からキプロスを租借しました。

ベルリン会議（1878年、ヴェルナー画）

ベルリン条約によってロシアの南下政策は大きな制約を課せられました。アレクサンドル二世は、三帝同盟を結んでいながら大英帝国の肩を持つビスマルクに立腹します。しかし、調停しなかったら、英仏が黙っていませんでしたよ、とビスマルクから情況を聞かされて納得せざるを得ませんでした。結局、三帝同盟は崩壊しますが、ヨーロッパ諸国はビスマルクを公正な仲裁人として、高く評価するようになりました。そして、この会議以後、ヨーロッパ列強が弱小国を分割・植民地化する傾向が強まりました。ヨーロッパも帝国主義の時代に入ったのです。

1878年のバルカン半島

一八七八年、第二次アフガン戦争が始まりました。大英帝国は苦戦を強いられながらも、アブドゥッラフマーン・ハーン（在位一八八〇―一九〇一）から外交権を召し上げ、保護国となることを認めさせました。一八八一年、第二次アフガン戦争は終了します。

一八七九年、レセップスは、今度はパナマ運河をつくり始めます。しかし工事が難しくて一八八九年に中断しました。

同じ年、ズールー戦争の勝利で、大英帝国がズールー王国を保護国にします（一八八七年、ズールー王国は滅亡）。なお、初期の戦死者の中にナポレオン・ウジェーヌ・ボナパルト（ナポレオン四世）がいました。

現在の中国の新疆にあたる地域では、イスラム教徒の叛乱が続発していました。なかでも、一八六四年に発生したヤクブ・ベク（一八二〇頃―七七）の乱は大規模で、新疆、タリム盆地一帯を制圧します。大英帝国やロシアもヤクブ・ベク政権を承認しましたが、ヤクブ・ベクが急死して、一八七九年、左宗棠（一八一二―八五。湖南省出身）が討伐に成功します。

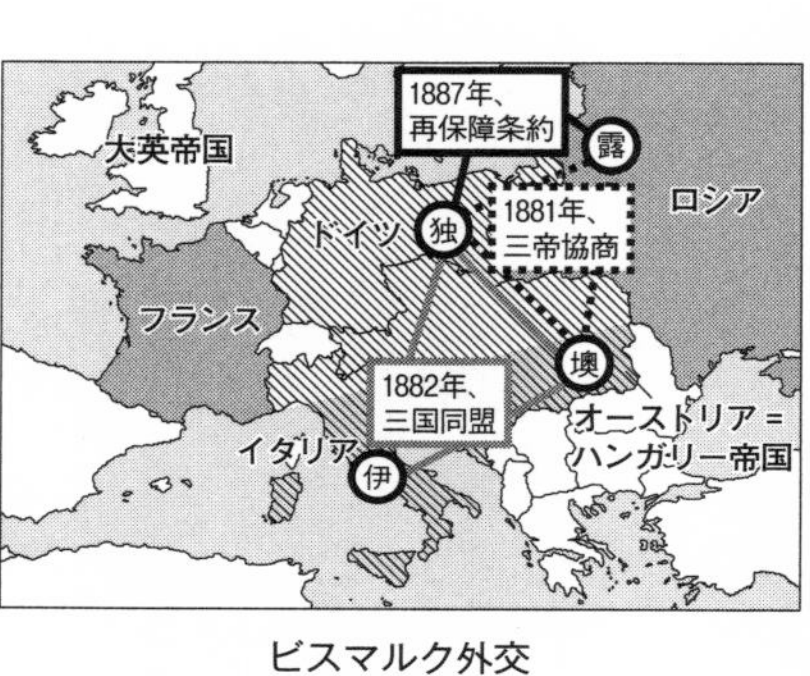

ビスマルク外交

左宗棠は曽国藩や李鴻章とともに活躍した洋務派官僚でした。しかしこのどさくさに乗じてロシアが進出し、中央アジアのイリ地方を支配、清とトラブルになっていました。左宗棠が乗り出し、一八八一年のイリ条約でイリ地方の一部は清に返却されます。ロシアでは、農奴解放を果たしたアレクサンドル二世がナロードニキ（社会運動家、「人民のもとへ」が由来）によって暗殺され、アレクサンドル三世（在位一八八一―九四）が即位しました。

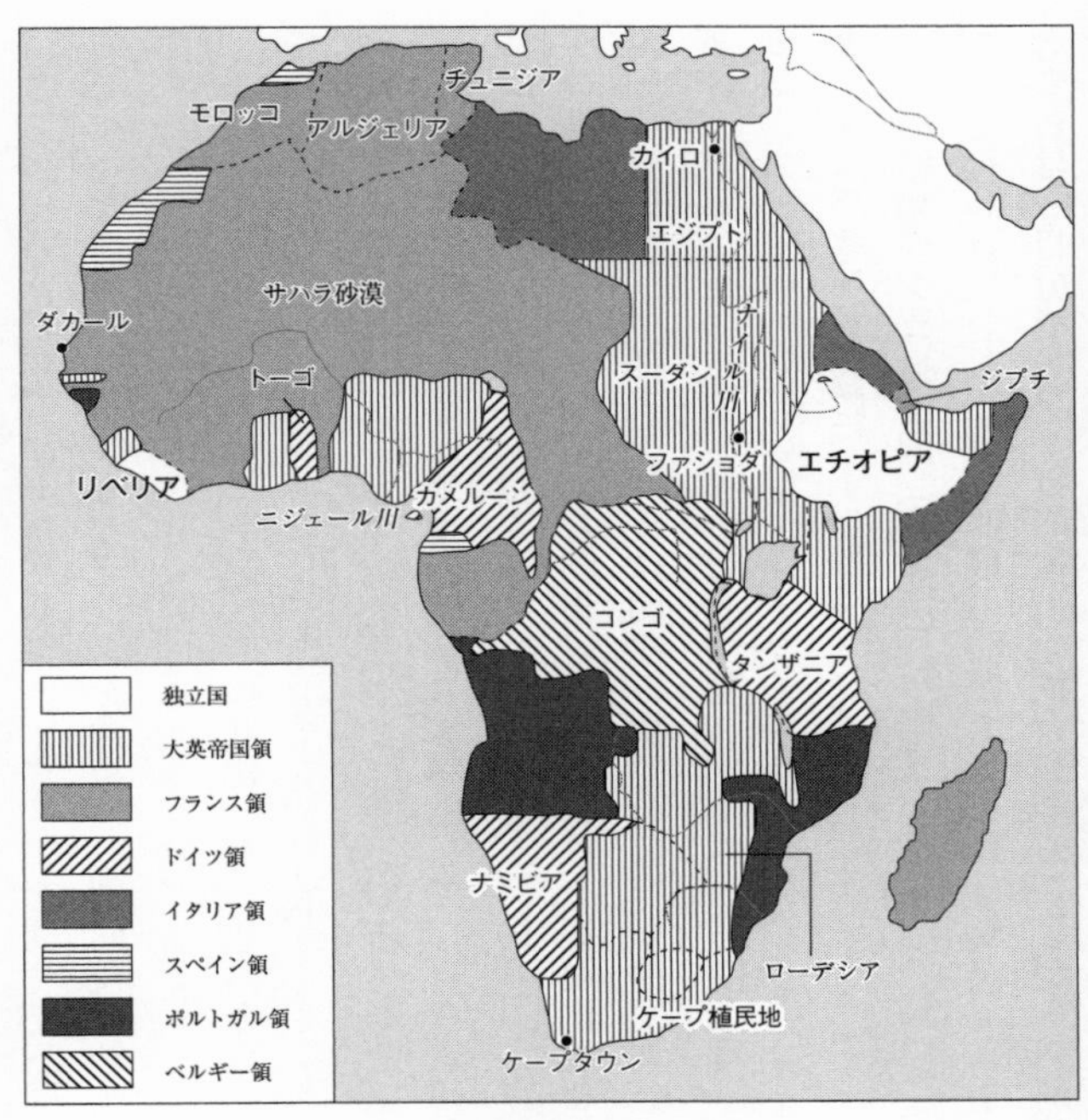

ベルリン会議後のアフリカ分割

同じ一八七九年、デンマークで女性の自立をテーマとしたヘンリック・イプセン（一八二八―一九〇六）の「人形の家」が初演されました。

ビスマルクは、ベルリン条約に不満を持つロシアの微妙な心理を察知していました。彼は改めてアレクサンドル三世に自分の誠意を伝えるとともに、ロシア・オーストリア・ドイツの不変の友好関係を大事にしたいと話し、一八八一年、三帝協商を結びます。こうして三国関係のたがを締め直しました。

さらに一八八二年、オーストリアとイタリアを誘って三国同盟を締結しました。これまで敵対していたオーストリアとイタリアを含めた三国同盟の結成は、ビスマルクならではの手腕です。

こうしてビスマルクはフランスの孤立化と封じ込めを着々と進めつつ、国内では世界で初めて公的年金保険（一八八三年の疾病保険法、八四年の災害保険法、八九年の老齢・廃疾保険法）を制度化するなど社会保障政策を充実させ、急速にドイツを近代化させました。

そしてアフリカの植民地獲得競争にも参画して、一八八四年にはナミビア、カメルーンやトーゴなど、一八八五年にはタンザニアや、アジアのニューギニアを保護領化しました。そしてアフリカでの主要列強による利害対立をこれ以上尖鋭化させないために、ベルリンに列強一四カ国を招いて、中部アフリカに関する権益の確定と植民地分割の原則確認の議定書を、一八八五年、締結させました。アフリカで独立国はリベリアとエチオピアの二つ、それ以外は列強七カ国（大英帝国・イタリア・スペイン・ドイツ・フランス・ベルギー・ポルトガル）の植民地となります（ベルリン会議）。

その結果コンゴ自由国（独立国）が成立しました。しかし、難点はベルギー国王の私領地コンゴで行われていた圧政と搾取の問題で、これは解決できませんでした。ビスマルクの優れたところは、自分でアフリカの領土を拡大しておきながら、列強を集めて仲介者の顔をつくってしまうところにありました。

†松方デフレ

大久保利通が暗殺された後、日本の実権は伊藤博文（一八四一―一九〇九）と大隈重信（一八三八―一九二二）に移ります。一八八一年、「明治十四年の政変」が起こります。開拓使官有物払い下げ事件が新聞で報道され、この件をリークしたのが大隈であるという観測が広がりました。そして、払い下げの中止と、一八九〇年の国会開設、大隈の罷免（ひめん）が決定されました。一八九〇年の国会開設を睨（にら）んで、板垣退助は自由党を結成します。

松方正義

松方正義（一八三五―一九二四）は大蔵卿として、西南戦争によるインフレーションを解消しようと考え、一八八一年より「松方デフレ」と呼ばれるデフレーション誘導の財政政策を行いました。なお、会計年度「四月―三月制」が導入されたのは一八八一年の松方時代のことです。

一八八二年、日本銀行が創立されました。大隈は立憲改進党の結成に踏み込みます。板垣は「板垣死すとも自由は死せず」の舞台となった岐阜事件に遭遇、一命をとりとめました。

一八七九年から八二年にかけてエジプトで起こったウラー

ビー革命は、大英帝国を刺激し介入を招きました。アレクサンドリアが砲撃され、エジプトは大英帝国の保護国となります。「エジプト人のエジプト」を訴えたアフマド・ウラービー陸軍大佐（一八四一―一九一一）はセイロン島に流刑になりました。

一八八三年、鹿鳴館が設置されました。インドネシアのクラカタウ（ジャワ島とスマトラ島の中間）にある火山島が大噴火を起こし、火砕流・津波による死者は三万六四一七名の惨事になりました（地質学史上五番目）。また、ニューヨークのブルックリン橋が完成しました。

一八八三年にはオリエント急行がパリ―イスタンブール間を開通しました。

同じ年、ドイツでリヒャルト・ワーグナー（一八一三―）が死去しました。「ニーベルングの指環」が代表作です。またこの年、哲学者フリードリヒ・ニーチェ（一八四四―一九〇〇）の「ツァラトゥストラはこう語った」（第一部）が刊行されました。

一八八四年にはチェコの国民的作曲家ベドルジハ・スメタナ（一八二四―）が亡くなりました。「モルダウ」は有名です。

フランスのインドシナ領有を巡って一八八四年に清仏戦争が起こりましたが、清は善戦したものの天津条約（一八八五年）によってベトナムはフランスの保護領となりました。なお、賠償金はゼロでした。

一八八四年、秩父で大規模な農民一揆が起こります。この事件は過激化した自由民権運動のひとつでした。自由党は急進派の行動を抑えきることが出来ず解散しました。この前後にいくつかの騒乱が起こりましたが、明治政府はようやく安定を得て、一八八五年に内閣制度を実現します。初代の内閣総理大臣には伊藤博文が就任しました。

同じ年、インドではボンベイ（現ムンバイ）で第一回インド国民会議が誕生しました。現在まで続くこの政党は、多くの首相を輩出することになります。同じ年、マフディーの反乱が起こりました。ムハンマド・アフマド（一八四四－八五）はスーダンの宗教家でしたが、イスラムの救世主を表わす「マフディー」宣言を行い、スーダンに民族意識をもたらしました。「太平天国」鎮圧の英雄、チャールズ・ゴードン（一八三三－八五）をハルツームで戦死させ、この勝利からほどなくムハンマド・アフマドは死去しますが後継者がマフディー国家を支配し、一三年間スーダンに君臨しました。一八九九年、スーダンが大英帝国・エジプトの共同主権となり戦争は終了します。

伊藤博文

一八八六年、アメリカのニューヨークの自由の女神像の除幕式がリバティ島で行われました。希望に胸を膨らませて新大陸入り（Island of Hope）を果たした移民はエリス島で八〇〇万人以上にのぼります（一八九〇年まで。一八九二年から一九五四年までの六〇年余りの間に、一七〇〇万人余りのヨーロッパ移民がエリス島から上陸しました)。同じ年、紀州沖でノルマントン号事件が起こりました。座礁沈没したイギリス船籍の貨物船から、乗組員二六名は全員救助されましたが、日本人乗客二五名は全員死亡しました。不平等条約の壁に阻まれ満足な解決が得られなかったといわれています。

一八八七年、ヴィクトリア女王即位五〇周年を機に、大英帝国は第一回植民地会議を開催しました。また同じ年、ビスマルクは露墺対立で機能しなくなった三帝協商に代えて、ロシアと再保障条約を結びました。

一八八八年にヴィルヘルム一世が死去、さらにその長子で将来を嘱望されていたフリードリヒ三世も、即位後三カ月で没しました。そして彼の長男ヴィルヘルム二世が即位(在位一八八八―一九一八)します。

マフディーの反乱

ビスマルク外交の戦略目標はフランスの封じ込め・孤立化と、大英帝国に敵対しないこと、そして同時にロシアを封じ込めつつ味方につけておくことでした。卓越した鵜匠が何羽もの鵜を上手に操るように、彼の手元から多数の議定書や条約が繰り出されました。この複雑で高度な外交は、「ビスマルクの下で皇帝であることは困難である」と漏らしたヴィルヘルム一世の「万全の信任」を得て、初めて可能であったともいえます。最高のコンビでした。

かくしてヨーロッパの一八七〇年代から一八八〇年代は、ビスマルクという現実感覚に富んだ指導者を得て、相対的に安定した二〇年間となりました。これをビスマルク体制と呼んでいます。

一八八九年、大日本帝国憲法が、欽定憲法として発布されました。同年、第四回パリ万国博覧会が開催され、エッフェル塔が完成しました。またパリにて第二インターナショナルが結成されました。一八七六年に第一インターナショナルが解散したのを受けた動きです。社会主義者の国際組織で一九一四年まで続きました。

ヴィルヘルム２世

同じ年、オーストリア皇太子ルドルフが情死しました。マイヤーリンク事件と呼ばれています。また、ブラジル皇帝ペドロ二世（在位一八三一—一八八九）が軍部のクーデターで廃位されました。ブラジルは共和政となります。

清は満洲族の国ですが、近代化（洋務運動）を担ったのは、曽国藩や李鴻章、左宗棠などの漢人官僚でした。李鴻章は沿海部の防備を重視して海防論を唱え、左宗棠はロシ

憲法発布式之図（床次正精画）

アを意識して内陸の辺境地域の防備を重視する塞防論を主張しました。一八八八年、李鴻章は、海軍の強化が必要だと考えて独力で北洋艦隊を創設しました。一八八九年、光緒帝は一八歳になり親政が始まりました。

†新航路は波高し

一八九〇年、ドイツ首相ビスマルクは引退しました。そしてドイツ皇帝ヴィルヘルム二世の親政が始まりました。三〇歳を越えたばかりの若者でしたから、無数に入り乱れたビスマルクの鵜飼の糸が理解できません。二年間弱の我慢は彼には限界でした。ヴィルヘルム二世は、ロシアに再保障条約の不更新を通告しました。ドイツに不信感をもつロシアをなだめて引きつけていた糸を、最初に切ってしまったのです。そして自分の政策を新航路政策と称して、独自の道を進み始めました。

同じ年、セシル・ローズ（一八五三―一九〇二）がケープ植民地首相となり、ローデシアを併合しました。セシル・ローズは、一八八八年にデ・ビアス鉱業会社を設立、南アフリカのダイヤモンド鉱山を独占支配するようになりました。同年、日本では第一回衆議院議員総選挙が行われました。

一八九一年には教皇レオ一三世（在位一八七八―一九〇三）が回勅「レールム・ノヴァールム（新しき事がらについて）」を発表しました。これはピウス九世のシラブス（反近代主義）に対するローマ教会の自己批判書です。我々も自由・平等・友愛という精神をきちんと認めるとレオ一三世は明言しました。ローマ教会も近代化に乗り出したのです。

露仏同盟を報じるフランスの雑誌「Le Petit Journal」の表紙

ロシアは一八九一年に、シベリア鉄道を起工しました。これはロシア東部の発展と極東アジアへの進出を視野に入れてのことです。さらに再保障条約不更新を受けて、フランスとの関係を急速に深め、一八九一年に政治協定、一八九二年に軍事協定を結び、ついに一八九四年には露仏同盟が結ばれました。フランスは孤立から抜け出し、逆に、東西からドイツを挟む形になりました。

†日清戦争

一八九三年、初の婦人参政権がニュージーランドで成立しました。外相の陸奥宗光（一八四四―九七）が不平等条約の是正に成功しました。一八九四年、日英通商航海条約の調印が行われました（一五カ国全てと治外法権の撤廃に成功）。同年、ハワイで広東省出身の孫中山（孫文。一八六六―一九二五）が、興中会という革命結社をつくりました。同じ年、朝鮮では甲午農民戦争（東学党の乱）と呼ばれる反乱が起きました。朝鮮政府は宗主国の清に派兵を要請します。

ところが、要請を受けてもいないのに日本も朝鮮に出兵したのです。このことから問題がこじれて、日清戦争が始まりました。日清戦争は日本にとって一か八かの初めての戦争でしたが、李鴻章の北洋艦隊を打ち破って勝利を収め、一八九五年の下関条約で遼東半島と台湾を獲得し、二億両（国家予算の四倍）の賠償金を得ました。

ところがこれに対して、ロシア・ドイツ・フランスの三国干渉が起こります。当時の日本は三国相手に戦う力はありません。しぶしぶ遼東半島を清に返還しました。

この後、ロシアは三国干渉の主導役であったことを恩に着せて、満洲北部の鉄道敷設権を李鴻章との密約により獲得しました。

清が日本に敗れたことで、欧州列強の清に対する侵略は加速します。一八九六年から一八九八年にかけて列強は瓜分（勢力分割）を行い、大英帝国が九龍半島など、フランスが広州湾、ドイツが膠州湾、ロシアが旅順と大連を、それぞれ租借しました。

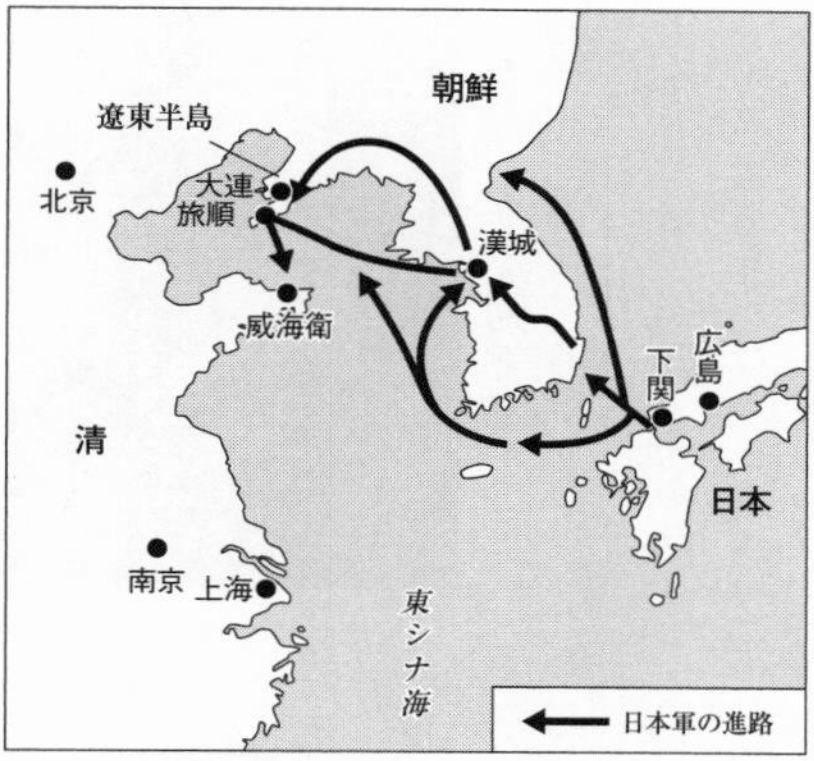

露仏同盟が結ばれた一八九四年に、フランスではユダヤ人の大尉アルフレド・ドレフュス（一八五九―一九三五）がスパイ容疑で逮捕され、流刑になりました。彼を弁護する小説家エミール・ゾラ（一八四〇―一九〇二）を始めとする人々の活動で冤罪が立証され、ドレフュスは最終的に無罪となります（一九〇六年無罪確定）。ゾラが一八九八年に書いた「我弾劾す」の公開状は有名です。この事件はフランス社会を二分する大騒動になりました。なおゾラは「居酒屋」「ナナ」などが代表作です。

オーストリアの新聞記者としてこの事件を取材していたブダペスト生まれのユダヤ人のテオドール・ヘルツル（一八六〇―一九〇四）は、自由な共和政

日清戦争での日本の進軍

ゾラ

ヘルツル

体のフランスでさえ、ユダヤ人に対する偏見を克服できない事実を目の前にして、シオニズムを提唱しました。シオニズムは、父祖の地シオンへ帰ろうという運動です。

そしてヘルツルは一八九七年、スイスのバーゼルで第一回シオニスト会議を主宰しました。なお、シオンはエルサレムの古い呼称です。

一八九五年、フランス人リュミエール兄弟により映画が始まりました。オーギュスト・リュミエール（一八六二―一九五九）とルイ・リュミエール（一八六四―一九四八）です。

一八九六年には、古代の平和の祭典（交戦中の都市も休戦して参加）に感銘を受けたフランスのピエール・ド・クーベルタン（一八六三―一九三七）の尽力により、アテネで第一回近代オリンピック大会が開催されました。なお、「オリンピックは、勝つことではなく参加することにこそ意義がある」という名言は、実はクーベルタンのものではありません。エセルバート・タルボットというアメリカの主教が、一九〇八年のロンドンオリンピックでアメリカの選手団に向けて話した言葉です。

光緒帝は、日清戦争後の祖国のふがいない状況を見て決意しました。李鴻章を罷免、代わりに康有為（一八五八―一九二七）を召し出します。康有為は、「変法自強」を主張しました。この国を改革するには、洋務運動のように政治体制を変えずに社会・経済政策のみを変えるのでは効果がなく、建国以来の法を変えねば国は強くなれないという主張でした。ひらたく言えば、明治維新と同じことをやろうと考えたのです。光緒帝は、一八九八年、変法派である康有為、梁啓超（一八七三―一九二九）らの戊戌（ぼじゅつ）の変法を行いました。

しかし実権を握る保守派の西太后派はまだまだ根強く、変法派は孤立気味でした。そこで光緒帝は北京に自軍を持っている袁世凱を味方にしようと考えました。皇帝主導のクーデターが狙いです。しかし、袁世凱は西太后の側近に光緒帝の密計をリークします。西太后は激怒して

クーベルタン

光緒帝を幽閉、康有為は香港に、梁啓超は日本にそれぞれ逃亡しました。この戊戌の政変は百日維新とも呼ばれています。

一八九二年、スペインで学んで帰国したフィリピン人の医学生ホセ・リサール（一八六一―一八九六）は、フィリピン同盟というスペインからの独立をめざす穏健派の組織をつくりました。しかし、植民地政府は、ホセ・リサールの人望を警戒

し、ホセ・リサールを流刑に処します。

一八九六年にフィリピンの独立運動は武闘化しました。このことと流刑を終えたホセ・リサールは直接の関係は何もなかったのですが、官憲に再び逮捕されてしまいます。ホセ・リサールは海外亡命を拒否して銃殺されることを選びました。彼の死は独立運動の火を燃えたたせることになりました。

一八九八年、キューバのハバナ湾で、アメリカの軍艦が爆沈したことをきっかけに、米西（アメリカ・スペイン）戦争が始まりました。結果はアメリカが大勝して、パリ条約で、スペインからフィリピン、グアム、プエルトリコを獲得し、キューバを保護国化しました。

これを知ったフィリピンは、ホセ・リサールの死刑もあって民族意識が高まっていましたから、アメリカ軍を感動して迎えました。スペインの圧政から守ってくれたと思って、独立宣言式までやってしまったのです（第一共和政。一八九八—一九〇一）。ところがアメリカ大統領ウィリアム・マッキンリー（在任一八九七—一九〇一）は、これからはアメリカがフィリピンを支配すると宣言し、全土に軍政を布告したのです。米比戦争（一八九八—一九〇一）が勃発しました。なお、北アメリカ最高峰のデナリ（元マッキンリー山）は、彼に因んで名付けられました。

フィリピン共和国は、必死に戦いますが、一九〇一年には大統領が降服してフィリピン共和国は消滅しました。なお、ホセ・リサールは現代でも尊敬され（国民的英雄）、彼が処刑された一二月三〇日は国民の祝日となっています。

この米比戦争の頃から、アメリカも帝国主義的になっていきます。一八九九年にジョン・ヘイ国務長官（在任一八九八―一九〇五）は門戸開放政策（open door policy）を発表しました（ジョン・ヘイの三原則。門戸開放・機会均等・領土保全）。西欧の列強や日本に対して中国の主権の尊重と港湾の自由使用を求めたものでした。アメリカは中国における機会均等を要求したのです。

†一九〇〇年の世界

グレート・トレックにより北上したボーア人は、トランスヴァール共和国（一八五二―一九〇二）とオレンジ自由国（一八五四―一九〇二）をつくって平和に暮らしていました。大英帝国も両国を承認しました。一八六七年以降、オレンジ自由国・キンバリーでダイヤモンドが、一八八六年、トランスヴァール共和国・ヨハネスブルグ近郊で金鉱脈が各々発見されました。

一八八〇年、ズールー戦争の勝利（一八七九年）の余波を受け、大英帝国のケープ植民地軍とトランスヴァール共和国の間に、戦端が開かれました。あわよくばダイヤモンド鉱山を併合しようとしたのです。しかし、ボーア人の抵抗はすさまじく、一八八一年のプレトリア協定で

アール・ヌーヴォー（オルタにより装飾されたタッセル邸の階段）

独立を再承認させます。しかし、大英帝国はあきらめませんでした。一八九九年、再度戦争に持ち込みます。今度は約五〇万人という大軍でした。二年半に及ぶ激戦（ゲリラ戦）の末、二つの共和国は大英帝国に吸収されました。これを南アフリカ戦争もしくはボーア戦争と呼んでいます。

世紀末には、曲線を利用したフランス語で「新しい芸術」を意味する「アール・ヌーヴォー」が各地に拡がりました。花や植物などの有機的なモチーフや自由曲線の組み合わせによる装飾性、鉄やガラスといった当時の新素材の利用などが特徴です。ヴィクトール・オルタ（一八六一―一九四七）が、ベルギー・ブリュッセルのタッセル邸の内部にアール・ヌーヴォーを初めて装飾しました（一八九二―九三）。

また、この一九世紀末の数年間には、重要な発明や発見が相次ぎました。一八九五年、ドイツのヴィルヘルム・レントゲン（一八四五―一九二三）が、「X線」を発見し、グリエルモ・マルコーニ（一八七四―一九三七）がイタリアで無線電信の初の商業化に成功しました。一八九六年、フランスのアンリ・ベクレル（一八五二―一九〇八）が放射線（アルファ線）を発見します。一八九八年、パリのソルボンヌ大学で、ピエール・キュリー（一八五九―一九〇六）とマリ・キュリー（一八六七―一九三九）夫妻がラジウムを発見しました。一九〇〇年、オーストリアのカール・ラントシュタイナー（一八六八―一九四三）がＡＢＯ式血液型を発見（翌年論文発表）、またドイツのマックス・プランク（一八五八―一九四七）がエネルギー量子仮説を提唱、量子論の創始者となりました。「量子論の父」とも呼ばれています。レントゲン、マルコーニ、ベクレル、キュリー夫妻、プランクいずれもノーベル物理学賞を受けています（ノーベル賞は一九〇一年から始まりました）。ラントシュタイナーはノーベル医学賞を受けています。なお、マリ・キュリーはノーベル化学賞も受賞しました。ソルボンヌ大学で最初の女性教授です。ジークムント・フロイト（一八五六―一九三九）は、オーストリアで「夢判断」を刊行しました。

マリ・キュリー

プランク

フロイト

一八九八年、ファショダ事件が起こりました。これはアフリカ分割の過程で大英帝国とフランスが軍事衝突しかけた事件です。英領であるカイロとケープタウンを結ぶ直線と、仏領であるダカールとジブチを結ぶ直線はスーダンのファショダ（現コドク）付近で交差します。このようにファショダは両国のアフリカ戦略上、極めて重要な地点に位置していました。結局、フランス軍が譲歩して翌一八九九年ファショダから撤退しました。この事件を契機として英仏は接近することになります。

ファショダ事件を描いた風刺画
（雑誌「Le Petit Journal」より）

一八九九年、第一回万国平和会議がロシア皇帝ニコライ二世（在位一八九四―一九一七）の提唱でハーグで開催されました。追加加盟国を入れて三二カ国が出席し、ハーグ陸戦条約が採択されました。

また国際紛争平和的処理条約が締結され、国際仲裁裁判を行う常設の機関である常設仲裁裁判所の設置などが規定されました。

第二回会議はジョン・ヘイ国務長官が提唱して一九〇七年に開催されました。加盟国は四四カ国にのぼりました。

第１回万国平和会議

一八九九年、白蓮教の流れを汲む秘密結社、義和団が西欧列強の強引なキリスト教布教に怒って、山東省で蜂起しました。義和団は「扶清滅洋」のスローガンを掲げてまたたく間に勢力を拡大します。清を扶けて西洋を滅ぼせ、という意味ですから明治維新の尊皇攘夷と同意です。義和団は一時、袁世凱の弾圧を受けますが、そのことでむしろ主力が天津、北京に移動して猛威を振るい、多くの外国人を殺傷しました。義和団の広がりをみた西太后は一九〇〇年、列強に向かって宣戦布告を行いました（北清事変）。目算も何もない、まことに身の程知らずな行動です。

それでも最初のうちは、義和団が外国人居留地を取り囲みました。しかし、列強の八カ国連合軍が北京に迫ると西太后は西安に逃亡し、北京は落城しました。これらの八カ国のうち、大英帝国は南アフリカ戦争で、アメリカは米比戦争で忙しく、日本とロシアが活躍しました。この顛末を映画化したのが「北京の五五日」です。そして一九〇一年、

義和団

北京議定書が結ばれます。清の一年間の歳入は八八〇〇万両強しかないのに賠償金の四億五〇〇〇万両（約六億八〇〇〇万円）という数字は天文学的です。結局中国は完済し終えるのに一九三八年までかかりました。

一九〇〇年、敦煌莫高窟にて道士王円籙が古写本・画巻を含む大量の敦煌文献を発見しました。一九〇七年には大英帝国のオーレル・スタイン（一八六二―一九四三）が、一九〇八年、フランスのポール・ペリオ（一八七八―一九四五）が、各々逸品をもち帰りました。

一九〇〇年、スウェーデン人スヴェン・ヘディン（一八六五―一九五二）が楼蘭遺跡を発見しました。近くに干上がったロプノールの湖床を見つけ「さまよえる湖」を唱えるに至ったのです。

一九〇〇年のパリ万国博覧会では、トレイン・シェッドが最盛期を迎えており（一八八八年開業のフランクフルト中央駅など）、この年完成したオルセー駅にも設置されました（現在はオルセー美術館となっています）。この他、グラン・パレとプティ・パレが建設され、アレクサンドル三世橋が架けられました。ニコライ二世が友好の証としてパリ万国博覧会にあわせて建設、パリ市に寄贈されたものです。なお、橋の名は、ニコライ二世の父アレクサンドル三世から取られました。そして、新渡戸稲造（一八六二―一九三三）が「武士道」を刊行しました。

こうして一九世紀は幕を閉じました。南アフリカ戦争あるいは米比戦争という戦乱はありましたが、全体としてみれば、二〇世紀は平和で光り輝く年に見えました。

人口は、アンガス・マディソンの推計によれば、一九〇〇年が一五億六〇〇〇万人でした。ちなみに、西暦元年が二億三〇〇〇万人、一〇〇〇年が二億七〇〇〇万人、一五〇〇年が四億四〇〇〇万人、一七〇〇年が六億人、一八二〇年が一〇億四〇〇〇万人でした。

フランクフルト中央駅のトレイン・シェッド

参考文献

1 全集・シリーズなど

『悪の歴史』清水書院 全6巻
『イスラーム原典叢書』岩波書店（刊行中）
『岩波講座 世界歴史』（1969-71）岩波書店 全31巻
『岩波講座 世界歴史』（1997-2000）岩波書店 全29巻
『岩波講座 世界歴史』（2021-刊行中）岩波書店 全24巻
『侠の歴史』清水書院 全6巻
『ケンブリッジ版世界各国史』創土社 全12巻
『興亡の世界史』講談社 全21巻
『週刊朝日百科 世界の歴史』朝日新聞社 全131冊
『宗教の世界史』山川出版社 全12巻
『諸文明の起源』京都大学学術出版会 全15巻
『書物誕生』岩波書店 全24巻
『新版 世界各国史』山川出版社 全28巻
『図説 世界の歴史』創元社 全10巻
『世界史史料』岩波書店 全12巻
『世界史リブレット』山川出版社（刊行中）
『日本史リブレット』山川出版社（刊行中）
『世界の教科書シリーズ』明石書店 全45巻
『世界の名著』中央公論社 全81巻
『世界の歴史』（旧版）中央公論社 全16巻＋別巻
『世界の歴史』（新版）中央公論社 全30巻
『世界歴史大系』山川出版社 全28巻
『中国の歴史』（新版）講談社 全12巻
『岩波講座 日本経済の歴史』岩波書店 全6巻
『MINERVA 世界史叢書』ミネルヴァ書房 全8巻
『物語 各国の歴史』シリーズ 中公新書（刊行中）
『ヨーロッパの中世』岩波書店 全8巻
『ヨーロッパ史入門』岩波書店 全10巻
『歴史の転換期』山川出版社 全11巻
『historia』山川出版社 全28巻
佐藤賢一 全著作
塩野七生 全著作
杉山正明 全著作
陳舜臣『中国の歴史』平凡社 全15巻

2 総論

網野善彦2012『歴史を考えるヒント』新潮文庫
石川九楊2012『説き語り中国書史』新潮選書
板谷敏彦2013『金融の世界史』新潮選書
市井三郎1971『歴史の進歩とはなにか』岩波新書
井筒俊彦1991『イスラーム文化』岩波文庫
井波律子2014『中国人物伝Ⅰ～Ⅳ』岩波書店
井上たかひこ2015『水中考古学』中公新書
入江昭2005『歴史を学ぶということ』講談社現代新書
祝田秀全2016『銀の世界史』筑摩書房
上田信2016『貨幣の条件』筑摩選書
上田信1995『伝統中国』講談社選書メチエ
梅田修2016『人名から読み解くイスラーム文化』大修館書店
梅原郁2003『皇帝政治と中国』白帝社
大塚柳太郎2015『ヒトはこうして増えてきた』新潮選書
岡崎正孝2000『カナート イランの地下水路』論創社
小野塚知二2018『経済史』有斐閣

加藤九祚1995『中央アジア歴史群像』岩波新書
北岡伸一、歩平編2014『「日中歴史共同研究」報告書（1・2）』勉誠出版
黒田明伸2014『貨幣システムの世界史』岩波書店
近藤和彦編2015『ヨーロッパ史講義』山川出版社
阪倉篤秀2015『長城の中国史』講談社選書メチエ
佐藤健太郎2013『炭素文明論』新潮選書
佐藤健太郎2018『世界史を変えた新素材』新潮選書
杉田英明2002『葡萄樹の見える回廊』岩波書店
鈴木大拙1972『日本的霊性』岩波文庫
高島正憲2017『経済成長の日本史』名古屋大学出版会
田家康2013『気候で読み解く日本の歴史』日本経済新聞出版社
田家康2019『気候文明史』日経ビジネス人文庫
田家康2019『世界史を変えた異常気象』日経ビジネス人文庫
檀上寛2016『天下と天朝の中国史』岩波新書
東京歴史科学研究会2017『歴史を学ぶ人々のために』岩波書店
冨谷至2016『中華帝国のジレンマ』筑摩選書
内藤湖南1992『支那史学史（1・2）』東洋文庫
長澤和俊1989『海のシルクロード史』中公新書
長谷川修一他2018『歴史学者と読む高校世界史』勁草書房
羽田正2016『地域史と世界史』ミネルヴァ書房
早坂眞理2017『リトアニア』彩流社
藤井毅2003『歴史のなかのカースト』岩波書店
三谷博2013『愛国・革命・民主』筑摩選書
宮本正興／松田素二2018『新書アフリカ史』講談社
本村凌二2005『多神教と一神教』岩波新書
クロード・アジェージュ2018『共通語の世界史』白水社
ジャック・アタリ2015『ユダヤ人、世界と貨幣』作品社

カレン・アームストロング2017『イスラームの歴史』中公新書
タミム・アンサーリー2011『イスラームから見た「世界史」』紀伊國屋書店
ロイド・E・イーストマン1994『中国の社会』平凡社
H・G・ウェルズ1966『世界史概観（上・下）』岩波新書
I・ウォーラーステイン2013『近代世界システムⅠ〜Ⅳ』名古屋大学出版会
ジョン・L・エスポジト2005『イスラームの歴史1〜3』共同通信社
E・H・カー1962『歴史とは何か』岩波新書
ジョン・キーン2013『デモクラシーの生と死（上・下）』みすず書房
チャールズ・キング2017『黒海の歴史』明石書店
シリル・P・クタンセ2016『海から見た世界史』原書房
マイケル・クック2005『世界文明一万年の歴史』柏書房
グレゴリー・クラーク2009『10万年の世界経済史（上・下）』日経BP社
デヴィッド・クリスチャン他2016『ビッグヒストリー』明石書店
デイヴィッド・クリスチャン2019『オリジン・ヒストリー』筑摩書房
グレゴリー・クレイズ2013『ユートピアの歴史』東洋書林
ニコラス・クレイン2019『ユー・アー・ヒア』早川書房
レイ・タン・コイ2000『東南アジア史』文庫クセジュ
マイケル・コリンズ他2018『旅と冒険の人類史大図鑑』河出書房新社
アラン・コルバン2010『キリスト教の歴史』藤原書店
イヴァン・コンボー2002『パリの歴史』文庫クセジュ
ジェイン・ジェイコブズ2010『アメリカ大都市の死と生』鹿島

出版会
ジュリアン・ジェインズ2005『神々の沈黙』紀伊國屋書店
ウォルター・シャイデル2019『暴力と不平等の人類史』東洋経済新報社
シュヴェーグラー1958『西洋哲学史（上・下）』岩波文庫
ポール・ジョンソン2006『ユダヤ人の歴史（全3巻）』徳間文庫
P・D・スミス2013『都市の誕生』河出書房新社
ギヨーム・ド・ベルティエ・ド・ソヴィニー2019『フランス史』講談社選書メチエ
ジェイコブ・ソール2018『帳簿の世界史』文春文庫
ジャレド・ダイアモンド2012『銃・病原菌・鉄（上・下）』草思社文庫
ダーウィン1990『種の起原（上・下）』岩波文庫
リチャード・ドーキンス2006『利己的な遺伝子』紀伊國屋書店
エマニュエル・トッド2016『家族システムの起源（上・下）』藤原書店
ジャン＝フランソワ・ドルティエ2018『ヒト、この奇妙な動物』新曜社
ルース・ドフリース2016『食糧と人類』日本経済新聞出版社
ニーダム1991『中国の科学と文明』思索社
ネルー2016『父が子に語る世界歴史1〜8』みすず書房
ジョン・ジュリアス・ノーウィッチ2016『世界の歴史都市』柊風舎
ジョン・ハーヴェイ2014『黒の文化史』東洋書林
フェルナンド・バエス2019『書物の破壊の世界史』紀伊國屋書店
スティーブ・パーカー2016『医療の歴史』創元社
ニコラス・A・バスベインズ2016『紙 二千年の歴史』原書房
エルヴィン・パノフスキー2002『イコノロジー研究（上・下）』ちくま学芸文庫
ユヴァル・ノア・ハラリ2016『サピエンス全史（上・下）』河出書房新社
ヴァレリー・ハンセン2016『図説シルクロード文化史』原書房
キティ・ファーガソン2011『ピュタゴラスの音楽』白水社
クライブ・フィンレイソン2013『そして最後にヒトが残った』白揚社
ブライアン・フェイガン2016『人類と家畜の世界史』河出書房新社
リチャード・フォーティ2014『〈生きた化石〉生命40億年史』筑摩選書
G・ブルヌティアン2016『アルメニア人の歴史』藤原書店
クリスチャン・ベック2000『ヴェネツィア史』文庫クセジュ
クリストファー・ベックウィズ2017『ユーラシア帝国の興亡』筑摩書房
ヨハン・ベックマン1999-2000『西洋事物起原㈠〜㈣』岩波文庫
A・M・ホカート2012『王権』岩波文庫
K・ポメランツ2015『大分岐』名古屋大学出版会
ウィリアム・H・マクニール2008『世界史（上・下）』中公文庫
ウィリアム・H・マクニール2014『戦争の世界史（上・下）』中公文庫
ウィリアム・H・マクニール他2015『世界史Ⅰ・Ⅱ』楽工社
ニール・マクレガー2012『100のモノが語る世界の歴史1〜3』筑摩選書
アンガス・マディソン2004『経済統計で見る世界経済2000年史』柏書房
マンフォード1985『歴史の都市 明日の都市』新潮社
ローター・ミュラー2013『メディアとしての紙の文化史』東洋

書林
ヴィクター・H・メア他2017『96人の人物で知る中国の歴史』原書房
マリア・ロサ・メノカル2005『寛容の文化』名古屋大学出版会
イアン・モリス2014『人類5万年 文明の興亡（上・下）』筑摩書房
E・ル＝ロワ＝ラデュリ2019『気候と人間の歴史Ⅰ』藤原書店
ヨアヒム・ラートカウ2013『木材と文明』築地書館
マッシモ・リヴィ－バッチ2014『人口の世界史』東洋経済新報社
ジョン・ルカーチ2013『歴史学の将来』みすず書房
J・ル＝ゴフ2016『時代区分は本当に必要か？』藤原書店
『詳説世界史研究』2017山川出版社
『詳説世界史図録』2014山川出版社
『世界史小辞典』2004山川出版社
『世界史20講』2014岩波書店
『世界史年表・地図』2018吉川弘文館
『世界史年表』2017岩波書店
『世界人名大辞典』2013岩波書店
『世界都市史事典』2019昭和堂
『文選　詩篇』2018-19岩波文庫（全6巻）
『歴史の「常識」をよむ』2015東京大学出版会

3 単行本

阿部謹也2006『ヨーロッパを見る視角』岩波現代文庫
天児慧2013『中華人民共和国史 新版』岩波新書
荒松雄1993『多重都市デリー』中公新書
石川明人2019『キリスト教と日本人』ちくま新書
板谷敏彦2012『日露戦争、資金調達の戦い』新潮選書
猪木武徳2009『戦後世界経済史』中公新書
岩井茂樹2020『朝貢・海禁・互市』名古屋大学出版会
上田信2020『人口の中国史』岩波新書
岡田温司2010『グランドツアー』岩波新書
岡本隆司2020『教養としての「中国史」の読み方』ＰＨＰ
岡本隆司2022『曾国藩』岩波新書
笠原十九司2015『海軍の日中戦争』平凡社
川口琢司2014『ティムール帝国』講談社選書メチエ
木畑洋一2014『二〇世紀の歴史』岩波新書
君塚直隆2007『ヴィクトリア女王』中公新書
河野健二1989『資料フランス革命』岩波書店
小坂井敏晶2011『増補　民族という虚構』ちくま学芸文庫
齋藤晃編2020『宣教と適応』名古屋大学出版会
佐藤次高2004『イスラームの国家と王権』岩波書店
佐藤次高2008『砂糖のイスラーム生活史』岩波書店
佐藤雅美2003『幕末「円ドル」戦争 大君の通貨』文春新書
猿谷要2004『検証アメリカ５００年の物語』平凡社
柴田三千雄2007『フランス革命』岩波現代文庫
白石隆2000『海の帝国』中公新書
杉山清彦2015『大清帝国の形成と八旗制』名古屋大学出版会
竹田いさみ2011『世界史をつくった海賊』ちくま新書
立石博高編2018『スペイン帝国と複合君主制』昭和堂
田村うらら2013『トルコ絨毯が織りなす社会生活』世界思想社
田家康2019『気候文明史』日経ビジネス人文庫
田家康2019『世界史を変えた異常気象』日経ビジネス人文庫
永川玲二1999『アンダルシーア風土記』岩波新書
中嶋浩郎、中嶋しのぶ2006『フィレンツェ歴史散歩』白水社
中野美代子2007『その政治の図像学 乾隆帝』文春新書
中野好夫1986『アラビアのロレンス』岩波新書

奈良岡聰智2015『対華二十一ヵ条要求とは何だったのか』名古屋大学出版会
成田龍一他編2020『〈世界史〉をいかに語るか』岩波書店
服部文昭2020『古代スラヴ語の世界史』白水社
春名宏昭ほか2019『皇位継承』山川出版社
半藤一利2009『昭和史1926-1945』平凡社
半藤一利2016『日露戦争史1』平凡社
半藤一利2016『日露戦争史2』平凡社
半藤一利2016『日露戦争史3』平凡社
広河隆一2002『パレスチナ 新版』岩波新書
藤田みどり2005『アフリカ「発見」』岩波書店
保阪正康2015『昭和史のかたち』岩波新書
本田創造1991『アメリカ黒人の歴史 新版』岩波新書
前嶋信次2000-01『前嶋信次著作選』東洋文庫（全4巻）
村井章介2019『古琉球 海洋アジアの輝ける王国』角川選書
村上陽一郎1983『ペスト大流行』岩波新書
本村凌二2005『多神教と一神教』岩波新書
森島恒雄1970『魔女狩り』岩波新書
森安孝夫2015『東西ウイグルと中央ユーラシア』名古屋大学出版会
八木久美子2015『慈悲深き神の食卓』東京外国語大学出版会
山内昌之1986『スルタンガリエフの夢』東京大学出版会
山室信一2004『キメラ』中公新書
渡辺京二2005『逝きし世の面影』平凡社
渡辺延志2013『虚妄の三国同盟』岩波書店
渡邊啓貴2013『シャルル・ドゴール』慶應義塾大学出版会
和田春樹2009-10『日露戦争 起源と開戦』岩波書店（上下巻）
W・アーヴィング1997『アルハンブラ物語』岩波文庫（上下巻）
ジャック・アダ2006『経済のグローバル化とは何か』ナカニシヤ出版
アーネスト・サトウ1960『一外交官の見た明治維新』岩波文庫（上下巻）
A・J・P・テイラー1987『ハプスブルク帝国1809-1918』筑摩書房
アラン・パーマー1998『オスマン帝国衰亡史』中央公論社
アルフレッド・T・マハン2008『マハン海上権力史論』原書房
アレクシ・ド・トクヴィル2005-08『アメリカのデモクラシー』一巻（上下）二巻（上下）岩波文庫
A・マンゾーニ2006『いいなづけ』河出文庫
アントニー・ビーヴァー2015『第二次世界大戦1939-45』白水社（上中下巻）
アントニオ・パオルッチ他2015『芸術の都 フィレンツェ大図鑑』西村書店
アンドリュー・ジョティシュキー2013『十字軍の歴史』刀水書房
アンドルー・ペティグリー2017『印刷という革命』白水社
アンネ フランク2003『アンネの日記』文春文庫
アンリ・トロワイヤ1980『女帝エカテリーナ』中央公論新社
アンリ・トロワイヤ1982『アレクサンドル一世』中央公論新社
アンリ・トロワイヤ1987『大帝ピョートル』中公文庫
H・ルフェーヴル1967『パリ・コミューン』岩波書店（上下巻）
イェーリング1982『権利のための闘争』岩波文庫
イザベラ・バード1973『日本奥地紀行』東洋文庫
イザベラ・バード2002『中国奥地紀行』東洋文庫

ヴィクトール・E・フランクル2002『夜と霧』みすず書房
ウィリアム・L・シャイラー2008-09『第三帝国の興亡』東京創元社
ウィンストン・S・チャーチル2001『第二次世界大戦』河出文庫
ヴォー・グエン ザップ2014『愛国とは何か』京都大学学術出版会
エドマンド バーク2000『フランス革命についての省察』岩波文庫（上下巻）
エドワード・W・サイード1993『オリエンタリズム』平凡社（上下巻）
エドワード・シルベスター・モース1970-71『日本その日その日』平凡社（全3巻）
エリック・ラーソン2015『第三帝国の愛人』岩波書店
エルンスト・H・カントーロヴィチ2003『王の二つの身体』ちくま学芸文庫（上下巻）
オーランドー・ファイジズ2015『クリミア戦争』白水社（上下巻）
オールコック1962-63『大君の都』岩波文庫（上中下巻）
オマル・ハイヤーム1979『ルバイヤート』岩波文庫
ガザーリー2003『誤りから救うもの』ちくま学芸文庫
ギャヴィン・メンジーズ2003『1421　中国が新大陸を発見した年』ソニー・マガジンズ
ギヨーム＝トマ・レーナル2015『両インド史』法政大学出版局
クラウゼヴィッツ1968『戦争論』岩波文庫（上中下巻）
グレゴーア・ショレゲン2015『ヴィリー・ブラントの生涯』三元社
ゲオルク・シュタットミュラー1989『ハプスブルク帝国史』刀水書房
K・ポメランツ2015『大分岐』名古屋大学出版会
ケンペル1977『江戸参府旅行日記』東洋文庫
コロンブス2011『全航海の報告』岩波文庫
コンドリーザ・ライス2013『ライス回顧録』集英社
サアディー1987『薔薇園』東洋文庫
シィエス1950『第三身分とは何か』岩波文庫
シーシキン他2006『ノモンハンの戦い』岩波現代文庫
ジャック・ル＝ゴフ2006『中世の身体』藤原書店
ジャン・ユレ2013『シチリアの歴史』白水社
ジャン＝ジャック・ベッケール2012『仏独共同通史　第一次世界大戦』岩波書店（上下巻）
ジョナサン・スタインバーグ2019『ビスマルク』白水社
ジョン・W・ダワー2001『敗北を抱きしめて』岩波書店
ジョン・リード2017『世界を揺るがした10日間』光文社古典新訳文庫
J・S・ミル2020『自由論』岩波文庫
ジョン・ロック2010『完訳　統治二論』岩波文庫
ジョン・ダーウィン2020『ティムール以後』国書刊行会（上下巻）
シルレル1988『三十年戦史』岩波文庫（全2巻）
スレイマン・ムーサ1988『アラブが見たアラビアのロレンス』リブロポート
タウンゼンド・ハリス1953-54『日本滞在記』岩波文庫（上中下巻）
T・ホッブズ1954『リヴァイアサン』岩波文庫（全4巻）
ティエリー　ランツ2010『ナポレオン三世』白水社
ティモシー・スナイダー2022『ブラッドランド』ちくま学芸文

庫（上下巻）
トニー・ジャット2008『ヨーロッパ戦後史』みすず書房（上下巻）
トビー・レスター2015『第四の大陸』中央公論新社
トビー・グリーン2010『異端審問』中央公論新社
トマス・ペイン2021『コモン・センス』光文社古典新訳文庫
トマス・モア1957『ユートピア』岩波文庫
ドリス・カーンズ・グッドウィン2014『フランクリン・ローズヴェルト』中央公論新社（上下巻）
ニコラス・ファレル2011『ムッソリーニ』白水社（上下巻）
ニッコロ・マキアヴェッリ1998『君主論』岩波文庫
ニコル・マルティネス2007『ジプシー』白水社
ニッコロ・マキアヴェッリ2012『フィレンツェ史』岩波文庫（上下巻）
ニナ・バーリー2011『ナポレオンのエジプト』白揚社
バーバラ・W・タックマン2004『八月の砲声』ちくま学芸文庫（上下巻）
バーバラ・W・タックマン2013『遠い鏡』朝日出版社
バーブル2014-15『バーブル・ナーマ』東洋文庫（全3巻）
ハーフィズ1976『ハーフィズ詩集』東洋文庫
ハルフォード・ジョン・マッキンダー2008『マッキンダーの地政学』原書房
ピーター・マクフィー2022『フランス革命史』白水社
ピエロ・ベヴィラックワ2008『ヴェネツィアと水』岩波書店
ヒュースケン1989『ヒュースケン 日本日記』岩波文庫
フィリップ・ゴス2010『海賊の世界史』中公文庫（上下巻）
ブーヴェ1970『康熙帝伝』東洋文庫
フェルディナンド・フォン・リヒトホーフェン2013『リヒトホーフェン日本滞在記』九州大学出版会
フランシス・ロビンソン2009『ムガル皇帝歴代誌』創元社
フレデリック・モートン1975『ロスチャイルド王国』新潮選書
ベネディクト・アンダーソン1987『想像の共同体』リブロポート
ペルリ1955『ペルリ提督日本遠征記』岩波文庫
H・A・ターナー・ジュニア2015『独裁者は30日で生まれた』白水社
ポール・キンステッド2013『チーズと文明』築地書館
マーカス・レディカー2014『海賊たちの黄金時代』ミネルヴァ書房
マイケル・ドブズ2013『ヤルタからヒロシマへ』白水社
マックス・ヴェーバー1989『プロテスタンティズムの倫理と資本主義の精神』岩波文庫
マルク ブロック1998『王の奇跡』刀水書房
マルクス・エンゲルス1951『共産党宣言』岩波文庫
マルティン・ゲック2013-14『ワーグナー』岩波書店（上下巻）
マルティン・ルター1955『キリスト者の自由・聖書への序言』岩波文庫
マルティン・ルター1954『現世の主権について：他二篇』岩波文庫
ミシュレ1983『魔女』岩波文庫（上下巻）
モーゲンソー2013『国際政治』岩波文庫（上中下巻）
モンテーニュ1967『エセー』岩波文庫（全6巻）
モンテスキュー1989『法の精神』岩波文庫（上中下巻）
ユージン・ローガン2013『アラブ500年史』白水社（上下巻）
ヨルゲン・ランダース2013『2052 今後40年のグローバル

予測』日経ＢＰ
ラス・カサス2009『インディアス史』岩波文庫（全7巻）
リヒャルト・フォン・ヴァイツゼッカー2010『ヴァイツゼッカー ドイツ統一への道』岩波書店
リュシアン・フェーヴル1966『ミシュレとルネサンス』藤原書店
リンドレー1964-65『太平天国』東洋文庫（全4巻）
ルイーズ・リヴァシーズ1996『中国が海を支配したとき』新書館
ルイス・Ｂ・ネイミア1998『1848年革命』平凡社
Ｌ・Ｈ・モルガン1958『古代社会』岩波文庫（上下巻）
ルソー1962-64『エミール』岩波文庫（上中下巻）
ルソー1954『社会契約論』岩波文庫
ルソー1972『人間不平等起原論』岩波文庫
ル＝ロワ＝ラデュリ2019『気候と人間の歴史』藤原書店
レーニン1956『帝国主義』岩波文庫
レオ・ダムロッシュ2012『トクヴィルが見たアメリカ』白水社
Ｒ・Ｆ・ジョンストン2005『紫禁城の黄昏』祥伝社
レフ・ニコラエヴィチ　トルストイ1954『セヴストーポリ』岩波文庫
ロバート・Ｋ・マッシー2014『エカチェリーナ大帝』白水社（上下巻）
『世界戦争（現代の起点　第一次世界大戦　第1巻）』岩波書店2014
『東アジア世界の近代』岩波講座　東アジア近現代通史第1巻、岩波書店2010
『日露戦争と韓国併合』岩波講座　東アジア近現代通史第2巻、岩波書店2010
『世界戦争と改造』岩波講座　東アジア近現代通史第3巻、岩波書店2010
『社会主義とナショナリズム』岩波講座　東アジア近現代通史第4巻、岩波書店2011
シリーズ　アメリカ合衆国史（全4巻）岩波新書2019–20
シリーズ　中国の歴史（全5巻）岩波新書2019–20

＊

32頁写真提供＝三澤幹雄
193頁、199頁写真＝国立国会図書館デジタルコレクションより

ちくま新書

1287-1
人類5000年史Ⅰ
――紀元前の世界
出口治明
人類五〇〇〇年の歩みを通読する、新シリーズの第一巻、ついに刊行！　文字の誕生から知の爆発の時代まで紀元前三〇〇〇年の歴史をダイナミックに見通す。

1287-2
人類5000年史Ⅱ
――紀元元年～1000年
出口治明
人類史を一気に見通すシリーズの第二巻。漢とローマ二大帝国の衰退、世界三大宗教の誕生、陸と海のシルクロード時代の幕開け等、激動の一〇〇〇年が展開される。

1287-3
人類5000年史Ⅲ
――1001年～1500年
出口治明
十字軍の遠征、宋とモンゴル帝国の繁栄など人や物の交流が盛んになるが、気候不順、ペスト流行にも見舞われる。ルネサンスも勃興し、人類は激動の時代を迎える。

1287-4
人類5000年史Ⅳ
――1501年～1700年
出口治明
征服者が海を越え、銀による交易制度が確立、大洋を舞台とするグローバル経済が芽吹いた。大帝国繁栄の傍らで、宗教改革と血脈の王政が荒れ狂う危機の時代へ。

1465
世界哲学史6
――近代Ⅰ　啓蒙と人間感情論
［責任編集］伊藤邦武／山内志朗／中島隆博／納富信留
啓蒙運動が人間性の復活という目標をもっていたことを、東西の思想の具体例とその交流の歴史から浮き彫りにしつつ、一八世紀の東西の感情論へのまなざしを探る。

1466
世界哲学史7
――近代Ⅱ　自由と歴史的発展
［責任編集］伊藤邦武／山内志朗／中島隆博／納富信留
旧制度からの解放を求めた一九世紀の「自由の哲学」とは何か。欧米やインド、日本などでの知的営為を俯瞰し、自由の意味についての哲学的探究を広く渉猟する。

1653
海の東南アジア史
――港市・女性・外来者
弘末雅士
ヨーロッパ、中国、日本などから人々が来訪し、交易や植民地支配を行った東南アジア海域。女性や華人などを通して東西世界がつながった、その近現代史を紹介。

ちくま新書
1287-5

人類5000年史Ⅴ
――1701年～1900年

二〇二三年一一月一〇日　第一刷発行

著者　出口治明（でぐち・はるあき）

発行者　喜入冬子
発行所　株式会社 筑摩書房
東京都台東区蔵前二-五-三　郵便番号一一一-八七五五
電話番号〇三-五六八七-二六〇一（代表）
装幀者　間村俊一
印刷・製本　三松堂印刷 株式会社

ISBN978-4-480-07537-6 C0220

索引

数字

あ行

か行

さ行

た行

な行

は行

ま行

や行

ら行

わ行